LUCHT-EN RUIMTEVAART

het aanzien

LUCHT- EN RUIMTEVAART

**vijfenzeventig jaar
vlieghistorie in beeld**

AMSTERDAM BOEK

Samenstelling:
Steven Bolt
Thijs Postma

Tekst:
Steven Bolt
Rob Huijgen

Lay-out:
Pim Smit

Omslag:
Henk Pen
Rob de Nooy

Eindredactie:
Johan Jongma

Foto's omslag
Linksboven: een Wright-tweedekker,
gefotografeerd tijdens de eerste vlucht
boven Nederland, 1909 (bladzij 22).
Midden boven: Anthony Fokker in zijn
eerste vliegtuig, de Spin, 1911.
Rechtsboven: een gevechtstoestel uit de
jaren zeventig, de Lockheed S-3A Viking.
Kleurenfoto: een Boeing 747 (Jumbojet)
met op de rug de 'Space Shuttle', een
pendelvoertuig dat op den duur
transporten moet verzorgen van de aarde
naar de ruimte en terug; tests sinds 1977.
Achterzijde: een blik op de aarde vanuit
de ruimte tijdens de proefnemingen met de
maanlander in het kader van de Apollo-9-
vlucht, maart 1969, ter voorbereiding op
de eerste maanlanding in juli van dat jaar.

ISBN 90 274 9302 2
© 1978 by Het Spectrum BV
Amsterdam Boek is een onderdeel van
Uitgeverij Het Spectrum Utrecht/Antwerpen.

Druk: Nederlandse Rotogravure Maatschappij B.V., Haarlem

Het is moeilijk aan te geven waar een Aanzien van de Luchtvaart moet beginnen.
Het jaar van de eerste motorvlucht, 1903, ligt het meest voor de hand,
maar het idee van varen-door-de-lucht is veel ouder. Al in de vijftiende
eeuw tekende Leonardo da Vinci vliegtuigen, helikopters en parachutes,
en twee eeuwen later voorspelde Francesco de Lana dat 'God dergelijke
apparaten nooit zou toestaan, omdat een vliegende machine vanuit de lucht
vuur en vernietiging kan doen neerdalen op steden en schepen...'
Niettemin heeft de wensdroom van als een vogel te kunnen vliegen de mens
nooit losgelaten. Fantasieën en natuurkundige ontdekkingen werden gevolgd
door stoutmoedige experimenten en, in 1783, door de heuse opstijging van
een bemande Montgolfier-heteluchtballon. Het motorvliegtuig werd
pas in 1903 meer dan alleen maar een idee. De 'Flyer' van de gebroeders
Wright startte op eigen kracht en was bestuurbaar; dat maakt hem
historisch gezien tot de stamvader van alle motorvliegtuigen. Nu, in 1978,
is het vliegtuig vijfenzeventig jaar oud. Het leerde vechten en het zaaide
inderdaad heel wat vuur en vernietiging. Maar het werd ook een snel
transportmiddel, dat mensen uit alle werelddelen dichter bij elkaar bracht.
De foto's in dit boek laten de meest interessante momenten en lotgevallen
uit de luchtvaarthistorie zien, de goede zowel als de kwade. Op de laatste
bladzijden is aandacht besteed aan wat velen als een soort overtreffende
trap van de luchtvaart beschouwen: de ruimtevaart. Of de verovering van
de ruimte echt zo belangrijk is? Niemand kan het zeggen; het is nog te
vroeg voor een oordeel. Misschien is 1969 wel het belangrijkste jaartal
van deze eeuw, omdat de mens toen voor het eerst letterlijk naar een
andere wereld reisde. Toch blijkt er, als men de waarde van een gebeurtenis
zou moeten bepalen naar het aantal mensen dat zich dat historische feit
blijft herinneren, iets merkwaardigs aan de hand te zijn. Bijna iedereen weet
dat Columbus in 1492 Amerika bezocht. Velen herinneren zich de pioniers-
daden van de gebroeders Orville en Wilbur Wright en Charles Lindberghs
vlucht over de Atlantische Oceaan. Maar hoevelen weten nog wie als eerste
mens voet op de maanbodem zette? Neil A. Armstrong is in ieder geval niet
bij zijn leven al een legende. Vergeten we zo snel of zijn we, door al die
opeenvolgende ruimtemissies en vluchtrecords, al helemaal gewend geraakt
aan astronautiek en buitenaardse verkenningen?
Sinds de lancering van de Spoetnik, 1957, is de ruimtevaart stellig in
sommige opzichten volwassen geworden. Met de regelmaat van de klok worden
satellieten en planetenverkenners weggeschoten. Er is zelfs een echt
ruimteschip gebouwd: de Space Shuttle, die in de jaren tachtig zijn eerste
vluchten gaat ondernemen. Men heeft er grote plannen mee. Met behulp van de
Shuttle geconstrueerde ruimtestations moeten mijnbouw op de maan en de
asteroïden mogelijk maken, om zo de op aarde langzamerhand schaarse
grondstoffen aan te vullen. Ook ons energieprobleem kan misschien door de
ruimtevaart worden opgelost: via tientallen enorme zonnecentrales die,
cirkelend om de aardbol, een eeuwige bron van elektriciteit vormen.
Voorlopig is dat alles nog toekomstmuziek. Maar de ideeën en speculaties
van thans zijn wellicht de concrete feiten van straks, waarbij zonneklaar is
dat de vervulling van ónze wensdromen geen driekwart eeuw — de tijdsafstand
tussen Flyer en Shuttle — meer op zich kan laten wachten.

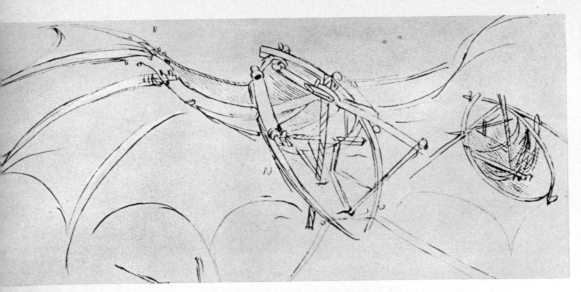

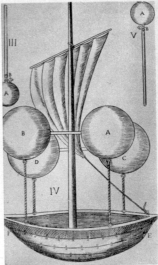

Leonardo da Vinci: vliegen als vogels

De grote kunstenaar en geleerde Leonardo da Vinci was misschien wel de eerste pionier in de geschiedenis van de luchtvaart. Hij ging ervan uit dat de mens op een vogel moet lijken om te kunnen vliegen en hij zag overeenkomst tussen de vlucht van vogels en het zwemmen in water.
Zijn toestellen waren *ornithopters:* ze hadden bewegende vleugels. Tot op de dag van vandaag is er echter niemand in geslaagd een vliegende ornithopter te bouwen. Da Vinci tekende ook verschillende helikopters en in 1485 ontwierp en maakte hij een model van de eerste parachute ter wereld.

'Vuur en vernietiging op steden en schepen'

De jezuïetenpater De Lana wilde vliegen door gebruik te maken van vacuümbollen van dun koperplaat; terecht veronderstelde hij dat een voorwerp dat lichter is dan lucht stijgt.
Hij dacht dat de bollen de buitendruk zouden kunnen weerstaan als hij ze perfect rond maakte, maar zelfs een klein verschil in druk tussen binnen en buiten is genoeg om de bollen in elkaar te laten klappen. Toen de pater daarachter kwam, was zijn commentaar: 'God zou zo'n apparaat nooit hebben toegestaan, want vanuit de lucht kan een vliegende machine vuur en vernietiging doen neerdalen op steden en schepen...'

Merkwaardige stijgkracht van warme lucht...

Op een winteravond in 1780 staarde de Franse papier-maker Joseph Montgolfier gedachteloos in het haard-vuur toen hij er zich ineens van bewust werd dat de rook en de vonken naar boven in de schoorsteen verdwenen. Hij vervaardigde een zak van fijne zijde en

trachtte die merkwaardige stijgkracht erin te vangen; tot zijn genoegen zwol de zak op en steeg het ding naar de zoldering.
Drie jaar later, op 21 november 1783, vertrokken Pilâtre de Rozier en de markies d'Arlandes in een *Montgolfier*-heteluchtballon voor de eerste luchtreis in de geschiedenis!

Voor het eerst vliegend over Het Kanaal

De belangrijkste van de eerste ballonreizen is de oversteek van Het Kanaal geweest. Op 7 januari 1785 stegen de Amerikaan Jeffries en de Fransman Blanchard bij Dover op in een waterstofballon.
Vlak voor de Franse kust verloor de ballon zo snel

hoogte, dat de bemanning alles wat los zat overboord moest gooien. Blanchard ging zelfs zover dat hij zijn broek en een fles cognac naar beneden wierp.

7

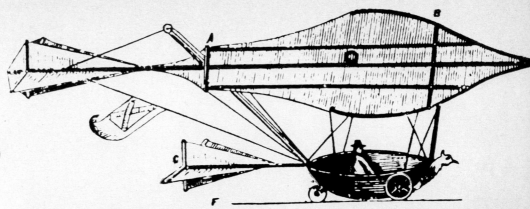

Een koetsier gaat vliegen…

Sir George Cayley wordt
algemeen erkend als de
schepper van het vliegtuig
zoals wij dat nu kennen.
Rond 1800 hadden zijn
ideeën over het ontwerp
van een vliegtuig al vaste
vormen aangenomen. In 1799
graveerde hij op de ene
kant van een zilveren schijf
zijn uitleg van de krachten
die op een vleugel werken
en op de andere kant
de schets van een vliegtuig.
De piloot is zittend
afgebeeld en heeft een
soort peddels voor de
voortstuwing. Had Cayley
een propeller gebruikt,
dan zou de gelijkenis met
een modern vliegtuig nog
opvallender zijn.
In 1853 beval Cayley zijn
koetsier plaats te nemen
in het zweefvliegtuig.
Cayleys kleindochter, die bij
de test aanwezig was, gaf er
later een beschrijving van:
'De koetsier ging in de
machine zitten en startte
vanaf de oostelijke helling;
hij vloog het dal over en
landde op ongeveer dezelfde hoogte op de westelijke
helling. De omstanders
repten zich naar de machine
en toen de koetsier was
uitgestapt, riep hij: „Met uw
welnemen, sir George, ik
zeg mijn dienst op. Ik ben
als koetsier aangenomen en
niet als vlieger." Meer
kan ik mij niet herinneren.
De machine werd in de
schuur opgeborgen en ik
kon mij er goed in
verstoppen.'

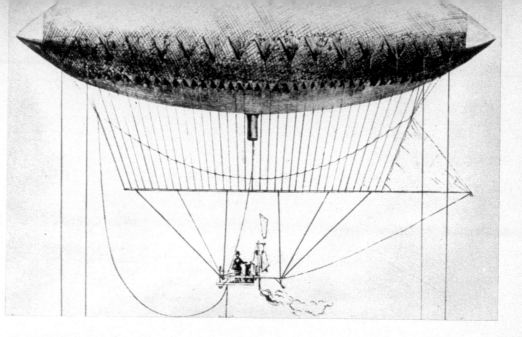

Henri Giffard: sturen met een zeil

Net als het vliegtuig kreeg het luchtschip vooral in het begin met veel problemen te kampen, waarvan het grootste de bestuurbaarheid vormde. Pas rond 1850 slaagde Henri Giffard erin een althans gedeeltelijk bestuurbaar luchtschip te bouwen: het sigaarvormige gevaarte was 44 meter lang en 12 meter in doorsnee. De propeller werd door stoom aangedreven en een groot driehoekig zeil achteraan zorgde voor de richtingsstabiliteit.

De elektromotor blijkt toch zwaarder

De stoommachine was uiteraard een nogal zwaar voortstuwingsmechanisme en in een poging tot het vinden van een lichtere oplossing bouwden de Fransen Arthur Krebs en Charles Renard in 1884 een elektrisch aangedreven luchtschip. In de gondel van de *La France* bevond zich een lichtgewicht-elektromotor met accu's. In de praktijk bleek evenwel dat de elektromotor zwaarder was dan de stoommachine van Giffard. Toch boekten Krebs en Renard een belangrijke vooruitgang; dank zij de verschillende roeren was hun luchtschip bestuurbaar, ongeacht de windrichting.

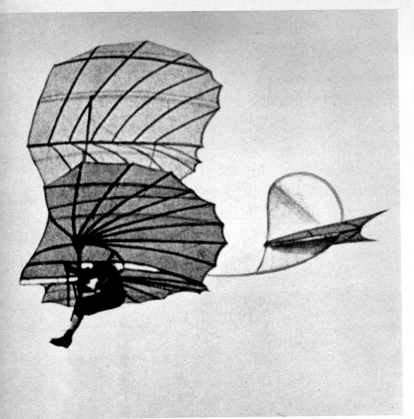

De luchtvaart maakt haar eerste slachtoffer

Na de gebroeders Wright bekleedt de Duitser Otto Lilienthal de tweede plaats in de geschiedenis van de luchtvaart. Ofschoon hij het meeste opzien baarde door experimenten met zweefvliegtuigen, bleef hij ervan overtuigd dat het gemotoriseerde vliegtuig uiteindelijk een *ornithopter* moest zijn. In 1889 publiceerde Lilienthal zijn boek 'Vogelvlucht als de basis voor het vliegen', waarin hij op de vorm en de anatomie van vogelvleugels inging. De uit die studie verkregen gegevens verwerkte hij bij het vervolmaken van de menselijke vlucht. Om praktische ervaring op te doen vóór hij terug kon keren naar machines met 'klapwieken', construeerde Lilienthal in 1891 zijn eerste zweefvliegtuig. In totaal bouwde hij vijf een- en twee tweedekkers. De eer-

ste vluchten maakte hij vanaf een springplank, maar later verkoos hij toch een heuvel. Hij liet zelfs nabij Berlijn een heuvel opwerpen, zodat hij naar gelang van de windrichting aan elke kant van de heuvel kon starten. Lilienthal hing aan zijn armen in het toestel en door het verplaatsen van zijn lichaam was hij in staat de besturing te beïnvloeden. Het bleek echter dat hij geen totale controle over het vliegtuig had: het eerste ernstige ongeval dat hem overkwam, werd veroorzaakt door de vaste staart van zijn toestel. Nadat hij hersteld was van zijn verwondingen, ontwierp Lilienthal een vrij naar boven scharnierende staart. Tijdens een test op 9 augustus 1896 sloeg de wind onder zijn vliegtuig en Lilienthal stortte neer. Zijn laatste woorden in een ziekenhuis in Berlijn waren: 'Offers moeten worden gebracht.'

Opgezette vogels vliegen niet

De Amerikaan Samuel Langley werkte aanvankelijk als ingenieur en werd later een beroemd astronoom. In de jaren '80 voerde hij vele experimenten uit en testte hij zelfs opgezette vogels in 'pogingen om de kunst van het vliegen te verwerven'. Vervolgens beproefde hij op stoom werkende modellen. De eerste faalden, maar zijn model no. 6 maakte vele succesvolle vluchten, waarvan de langste meer dan een kilometer besloeg. In 1903 bouwde hij een tandem-eendekker op ware grootte die hij foutief *Aerodrome* (vliegveld) doopte. Piloot Charles Manly startte tweemaal vanaf een ark op de rivier de Potomac; beide keren vernielde het vliegtuig het lanceer-mechanisme en viel daardoor in het water. Manly mocht ondanks zijn natte pak niet klagen: hij zat zo laag in het toestel, dat hij bij een landing op vaste grond zeker zijn broek zou zijn kwijtgeraakt.

Tossen om wie het eerst zal vliegen...

Precies één week na de tweede poging van Samuel Langley gebeurde het: op 17 december 1903 maakte Orville Wright de eerste gemotoriseerde vlucht in de luchtvaarthistorie. Even voor de eeuwwisseling raakten de fietsenmakers Orville en Wilbur Wright geïnteresseerd in het vliegen. Wilbur (bovenste portret) bezat een grote verzameling aëronautische boeken en door zijn intense studie raakte ook Orville in de ban. Het eerste waarmee de broers experimenteerden was een soort vlieger, waarvoor zij een ingenieuze besturing uitdachten: met touwen konden ze de vleugelachterranden verbuigen en zo de vlieger besturen. Het idee van een windtunnel stelde hen in staat vleugel- en propellermodellen te testen. Daarna konden ze grotere vliegers, eigenlijk bemande zweefvliegtuigen, bouwen. Toen hun vluchten voorspoedig verliepen, wisten de broers zeker dat nu de tijd van 't motor-vliegen was aangebroken. Ze bouwden 'n nog grotere versie van hun vliegtuig, dat ze *Flyer* noemden. Het enige probleem was toen nog het vinden van een geschikte motor en omdat er geen bestaande machine was die aan hun eisen voldeed, bouwden zij er zelf een. Op 14 december verhuisden de Wrights met hun vliegtuig naar de duinen van Kitty Hawk en tosten erom wie het eerst zou vliegen.

Wilbur won. Maar hij mocht niet de eerste piloot zijn: hij trok de neus te ver op en even later ploegde het vliegtuig door het zand. Drie dagen later, na de reparaties, slaagde Orville erin 12 seconden in de lucht te blijven en 40 meter af te leggen.

14

Constructeurs en piloten

Door de verhalen van Jules Verne raakte de Braziliaan Alberto Santos-Dumont in de ban van het luchtschip. Toen hij in Parijs verbleef schafte hij zich er een aan; de Parijzenaars konden vaak zien dat hij thuis was, omdat hij dan zijn schip voor de deur stalde. Bomen echter speelden een tragische rol in de vluchten van Santos-Dumont: bijna elke keer eindigde zijn tocht tussen de takken. Hij gaf het op en liet door de gebroeders Voisin een vliegtuig bouwen, de no. 14bis, zo genoemd omdat hij het eerst onder aan zijn luchtschip no. 14 testte (foto rechtsonder). Het leek alsof de 14bis achteruit vloog; eerst kwam de staart, daarna de romp, vleugels en duwpropeller. Doordat Santos-Dumont ruime bekendheid gaf aan zijn vluchten, kwamen ook de constructeurs, de broers Gabriel en Charles Voisin, steeds meer in de belangstelling. Dat stimuleerde hen tot het bouwen van vooral zweeftoestellen. Santos-Dumont werd hun vaste klant. Gabriel ontwierp enkele zweefvliegtuigen en de ontwikkelingen daarvan liepen parallel aan die van de bouwsels van de Wrights. In 1907 bouwden de gebroeders Voisin voor de in Frankrijk wonende Engelsman Henri Farman een goed doordacht vliegtuig. Op 13 januari 1908 slaagde Farman erin met dat toestel de Deutsch-prijs te winnen, uitgeloofd voor de eerste man in Europa die een gesloten circuit van één kilometer aflegde (foto hierboven).

De wentelwiek komt niet van de grond

Het idee van een ronddraaiende vleugel vinden we al bij Da Vinci en Cayley, en zelfs in kinderspeelgoed uit de dertiende eeuw. Na Cayley raakt de 'rotor' lange tijd in het vergeetboek, totdat enkele lieden het idee in de schaduw van het succes van de Wrights nieuw leven proberen in te blazen. Een van die pioniers was Paul Cornu. In 1906 maakte hij een modelhelikopter met een 2-pk-motor (foto boven). Een jaar later bouwde hij het model op ware grootte na en wist een halve meter van de grond te komen. Tegelijk was er ook in Rusland iemand met helikopters bezig: Igor Sikorsky, de man die men nu wel 'de vader van de wentelwiek' noemt. In zijn jeugd las zijn moeder hem verhalen voor over Da Vinci en diens ideeën over helikopters. En tegen de tijd dat Igor twaalf was, had hij een model gemaakt dat, aangedreven door elastiekjes, werkelijk vloog! In 1908 vertrok hij naar Parijs, waar hij vele kopstukken uit de luchtvaart ontmoette. Geen van hen had echter interesse in de rotor. Niettemin leerde Sikorsky veel tijdens zijn verblijf en vol nieuwe ideeën keerde hij terug naar Kiev met een motor die hij in Parijs had aangeschaft. Thuis bouwde hij een kleine helikopter met twee tegen elkaar in draaiende wieken (foto rechts). Maar de motor was te zwaar en de machine kwam niet van de grond. Later bouwde hij nog een toestel, dat het echter, vastgebonden aan kabels, niet verder bracht dan een paar korte sprongetjes. Teleurgesteld besloot Sikorsky zich te richten op het ontwerpen van vliegtuigen met gewone, vaste vleugels.

Twee pioniers beschrijven hun Kanaalvlucht

De Britse krant Daily Mail looft 1000 pond uit voor de eerste Kanaaloversteek. Op 19 juli 1909 geeft een kanonschot de start aan van de eerste poging. Hubert Latham stijgt op in een *Antoinette IV* nabij Calais. Elf kilometer uit de kust probeert Latham een foto te nemen. Zijn relaas: 'De motor slaat over, ik leg de camera onmiddellijk weg en probeer het mengsel en de ontsteking bij te regelen. Niets helpt, de motor geeft het op. Ik zweef langzaam naar beneden. Gedurende de afdaling heb ik de machine perfect onder controle; even voor ik het water raak, trek ik het toestel op en land zachtjes. Ik steek een sigaret op en wacht.' Binnen een paar minuten wordt Latham gered en dan gaat hij naar Parijs om een nieuwe *Antoinette* te bestellen. Zes dagen later probeert een andere Fransman het. Louis Blériot start in een eigen vliegtuig, de *Blériot XI,* en hij vertelt: 'Er zijn tien minuten voorbij en ik draai mijn hoofd om om te zien of ik in de juiste richting vlieg, er is niets te zien, geen boot, Frankrijk noch Engeland. Ik ben alleen, zonder gids en kompas, alleen in de lucht boven Het Kanaal. En dan zie ik de rotsen van Dover en in het westen de plek waar ik wil landen. Wat moet ik doen? De wind heeft me uit de koers gedreven. Ik draai naar het westen en vlieg langs de rotsen; de wind is hier sterker. Terwijl ik ertegen vecht, verlies ik snelheid... Dáár een opening in de rotsen, een klein veldje en ik besluit te landen. De wind grijpt me, ik zet de motor af en de machine valt.' Maar Blériot komt veilig neer; de overtocht is gelukt.

Demonstraties en wedstrijden

Na Wilbur Wrights bezoek aan Europa besloot men in Frankrijk, toen het toonaangevende land in de vliegwereld, in 1909 een luchtvaarttentoonstelling te houden. Niet alleen een trekpleister voor het publiek, maar ook een mogelijkheid voor al de kopstukken om hun problemen te bespreken en ideeën uit te wisselen. Als plaats werd Reims gekozen. De show werd een geweldig succes, vooral door de demonstratievluchten van de grote pioniers. Ze waren vrijwel allemaal van de partij: Farman, Blériot, Latham, de Voisins... Alleen de Wrights ontbraken; die hadden het te druk in Amerika. Het hoogtepunt waren de wedstrijden: het bereiken van de grootste hoogte, snelheid en afstand. De champagneboeren die de show organiseerden, stelden een flink bedrag aan prijzen beschikbaar. Latham bracht het er nu beter af dan bij zijn poging Het Kanaal over te steken; hij won de hoogteprijs. Blériot was met een snelheid van 97 kilometer per uur de snelste, mede dank zij een geheel nieuw type motor dat beroemd werd in de vliegwereld: de *Gnôme,* een roterende luchtgekoelde motor. Deze krachtbron was een van de belangrijkste ontwikkelingen omdat ze de eerste motor was die een goede krachtgewichtverhouding had. Ook ging hij langer mee, zodat er meer vlieguren konden worden gemaakt.

Vliegende boot of varend vliegtuig?

De eerste pioniers kwamen al heel gauw op het idee om het wateroppervlak te gebruiken als start- en landingsbaan. Water heeft grote voordelen: het is overal ter wereld voorhanden en het hoeft niet kunstmatig te worden aangelegd, zoals een baan op het land. De gebroeders Voisin bouwden een machine met drie drijvers, die aan de onderkant plat waren en aan de bovenkant gebogen, zodat de drijvers in het water én in de lucht voor draagkracht zouden zorgen. Was het nu een vliegende boot of een varend vliegtuig? Men wist het niet en dat blijkt wel uit het feit dat de machine na de geslaagde poging in 1910 tentoon werd gesteld op de grote bootshow die dat jaar in Monaco werd gehouden (foto boven). Ook de Amerikaan Glenn Curtiss beschouwde water als een ideale start- en landingsbaan. Hij voorzag een van zijn eigen toestellen van drijvers en hij leverde daar zulke goede prestaties mee, dat het Amerikaanse leger interesse kreeg en hem speciale demonstratie- vluchten liet uitvoeren (foto onder). Glenn Curtiss kreeg echter nog een andere ingeving: hij vergrootte de centrale drijver, zodat er een bootromp ontstond. Op die manier gaf hij de passagiers en de piloot een veel comfortabeler zitplaats. Met dat idee kwam er een nieuwe term in zwang: de vliegboot.

De eerste passagiers mogen niet te zwaar zijn

Terwijl men nog maar net in de lucht kon komen én blijven, sloeg de commercie al toe: de eerste luchtvaartmaatschappijen werden opgericht. De eerste lijndiensten werden echter niet door vliegtuigen, maar door luchtschepen onderhouden. In 1909 richtte Graf Ferdinand von Zeppelin met hulp van een aluminiummagnaat de eerste luchtlijn ter wereld op: de *Deutsche Luftschiffart Aktien Gesellschaft*, afgekort *Delag*. De thuishaven van de zeppelinvloot was het Bodenmeer. (Zie foto's hieronder en p. 20, boven.) Toen deze lijn in 1914 in verband met de oorlog opgeheven moest worden, hadden de zeppelins al meer dan 35.000 passagiers vervoerd.

Verwonderlijk is dat men in Amerika, de bakermat van het vliegen, nauwelijks interesse had voor de commerciële mogelijkheden van het vliegtuig. Pas in 1914, toen de zeppelins al meer dan drie jaar hun werk deden, werd in Florida de eerste geregelde luchtlijn geopend: de *St. Petersburg-Tampa Airboat Line*. Ditmaal wél met een vliegtuig; er werden twee vluchten per dag gemaakt en het kaartje kostte vijf dollar. Er was een beperking: de *Benoist*-vliegboot kon maar één passagier meenemen. Woog die meer dan 90 kilogram, dan moest hij bijbetalen (pag. 20, onderste foto).

Een suikerfabrikant neemt het initiatief

Het rumoer en de sensatie over de vliegkunsten van de Wrights en Blériot is ook in Nederland doorgedrongen. In 1907 wordt door een marineofficier, lt.t.zee A. Rambaldo, een vliegvereniging opgericht onder de naam: Nederlandse vereniging tot bevordering van de luchtscheepvaart. De naam laat zien dat men het vliegtuig-zwaarder-dan-lucht niet serieus neemt en de voorkeur geeft aan de ballon. Het eerste optreden van een vliegtuig wordt dan ook niet door deze vereniging georganiseerd, maar door een particulier, een suikerfabrikant (foto's links), die het 40-jarig bestaan van zijn firma op een speciale wijze wil vieren. Het vliegtuig is een Wright-tweedekker en de piloot is een Franse leerling van Wilbur Wright. Het blad Luchtvaart van juni 1909: 'Te 8 uur 23 geeft de in het toestel gezeten aviateur, de graaf Lambert, het teken van opstijging. We zien het valgewicht omlaag gaan en voort snelt het toestel over de rails. Nog voor het einde daarvan verheft het zicht en... majestueus gaan machine en bestuurder het luchtruim in!' Het vliegen wordt zo verleidelijk, dat vele Nederlanders proberen zelf een vliegtuig te bouwen, wat leidt tot de ene mislukking na de andere. Pas in 1911 slaagt H. v.d. Burg erin een toestel te bouwen dat vliegt. Maar in zijn enthousiasme vergeet hij vliegles te nemen. Na een paar sprongetjes wil hij een bocht maken; de poging eindigt in een 'kraak', maar Van der Burg komt er heelhuids af. De gedenkwaardige vluchten volgen elkaar nu snel op.

In de Nieuwe Haarlemsche Courant van 1 sept. 1911 prijkt de forse kop: 'Fokker vloog boven Haarlem'. Anthony Fokker, geboren in 1890, geniet thans over de hele wereld bekendheid als de bouwer van de beste jachtvliegtuigen uit de Eerste Wereldoorlog en als dé expert op het gebied van verkeersmachines na 1920. Zijn eerste toestel, de *Spin,* rolde in 1910 uit de werkplaats. Het krante-artikel vervolgt: 'Zo zeker en secuur, zo mooi scherend en kalm vloog het op een vogel lijkende vliegtuig over de stad. Boven de markt nam het zo mooi zijn draai om de toren van de St. Bavo, dat iedereen er versteld van stond' (foto rechtsonder).

Nederland leert (en ziet) vliegen

Het eerste initiatief om in Nederland een vliegveld in te richten, kwam wederom van een bedrijf dat met vliegen niets te maken had. De Haagse automobielzaak Verwey & Lugard kocht in 1910 bij Soesterberg en op de Doesburgerheide grond en legde daar twee velden aan. De firma bekostigde ook de vlieglessen van J. Hilgers aan de Blériot-vliegschool in Frankrijk. Toen Hilgers (portret links) naar Nederland terugkeerde, nam hij een *Blériot 11* mee, hetzelfde type waarmee Blériot Het Kanaal was overgestoken. De VVV in Heerenveen wilde eind juli een vliegshow houden en toen Verwey dat ter ore kwam, riep hij uit: 'Dat nooit… Wij zullen de eersten zijn!' Op de Doesburgerheide werd op 29 juli met man en macht een vliegdemonstratie uit de grond gestampt. En Hilgers, die zijn brevet nog niet gehaald had, werd de eerste Nederlandse piloot die boven eigen bodem vloog. Er volgden demonstraties in heel Nederland. Veel stelden deze evenementen echter niet voor. Het publiek dat van heinde en verre naar een stukje grond buiten de stad kwam, moest vaak uren wachten voordat er gevlogen werd. Dat lag niet aan de piloten, maar aan de grillen van de wind en de motoren.

Jan Olieslagers:
de Antwerpse duivel

Er werden niet alleen veel vliegshows gehouden, er dienden zich ook steeds meer nieuwe piloten aan. Een van hen was Clement van Maasdijk (zittend in zijn toestel, pag. 24); hij werd de eerste gebrevetteerde Nederlander. Met een vlucht van vijf kilometer opende Van Maasdijk op 31 juli 1910 de vliegdagen in Heerenveen. De volgende dagen maakte hij meer vluchten en op een ervan bleef hij een halfuur in de lucht — in die tijd een enorme prestatie. Foto hierboven: ook Leeuwarden mocht gauw daarna een vliegshow beleven. Daar steeg Jan Olieslagers op en al op de eerste dag van het festijn verbeterde hij het record van Van Maasdijk. De laatste dag bleef Olieslagers zelfs meer dan 46 minuten in de lucht. Het publiek was buiten zichzelf van vreugde. Het succes leidde tot een hele serie demonstraties, die de Belg enorm populair zou maken en hem de bijnaam 'Antwerpse duivel' bezorgde.

Maar het vliegen bleef een gevaarlijke sport, een tijdverdrijf voor waaghalzen. Op 27 augustus 1910 werd de eerste zwarte bladzij in de Nederlandse luchtvaarthistorie opgetekend. Van Maasdijk stortte even buiten Arnhem van een hoogte van vijftig meter neer en verloor het leven.

Ogen in de lucht
tijdens wereldoorlog

Augustus 1914. In Europa breekt de oorlog uit, maar hij wordt alleen te land en ter zee uitgevochten. De veldmaarschalken en de admiraals zien de mogelijkheid dat er iets vanuit de lucht kan worden gedaan volkomen over het hoofd. Maar dan, stapje voor stapje, wordt het duidelijk dat de lucht wel degelijk mogelijkheden biedt. Strategen beginnen het nut van ballons en luchtschepen in te zien. Ballons worden aan kabels opgelaten en dienen zo als een ideale waarnemingspost om de bewegingen van troepen vast te stellen. Maar ballons zijn te statisch en door het moeizame oplaten en weer neerhalen gaat kostbare tijd en informatie verloren. Er worden nieuwe wegen gezocht. Het luchtschip dient zich aan. De voordelen zijn duidelijk: het luchtschip kan worden bestuurd en daardoor zijn grotere delen van het terrein beneden te overzien. Maar ook luchtschepen voldoen niet aan de eisen: ze zijn te groot, te log en vooral te kwetsbaar. Ze vormen een enorme schietschijf en een lukraak schot is vaak al voldoende om het schip in vlammen te doen opgaan.

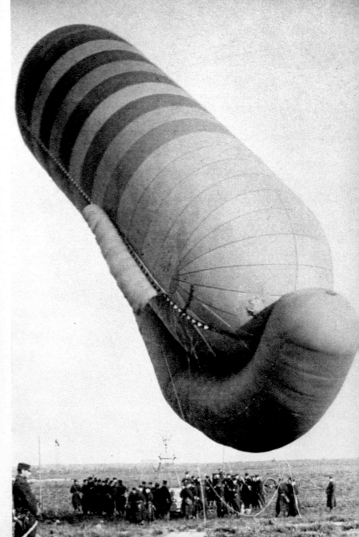

Het vliegtuig is een betere waarnemer

Dan doet het vliegtuig zijn intrede in de oorlog. Het is meer geschikt voor de taak van waarnemer dan het luchtschip, want het is sneller en kan tot ver achter de frontlinie doordringen. Zowel de Duitsers als de geallieerden voeren regelmatig spionagevluchten uit; de verkregen informatie wordt in hulzen naar beneden gegooid. De luchtvloten van beide kanten verkeren nog in een primitief stadium: een zelfstandige luchtmacht is er nog niet, de vliegtuigen vallen onder het commando van het leger. De Duitsers beschikken over bijna 250 toestellen, waarvan meer dan de helft uit *Rumpler*-eendekkers bestaat (foto boven). De Fransen hebben 200 machines van de meest uiteenlopende types en de Britten kunnen ongeveer 100 vliegtuigen inzetten, zoals het B.E.-type, waarvan op foto onder een buiten Lille neergeschoten exemplaar.

Kentekens en camouflage

Tegen het eind van 1914 begon de ontwikkeling van de beschildering en het aanbrengen van nationale kentekens, die het mogelijk moesten maken vriend van vijand te onderscheiden. Het belangrijkste doel was het voorkomen van nare incidenten, zoals het neerschieten van een bevriend vliegtuig. De Duitsers kozen hun nationale kruis als kenteken, de Fransen een driekleurige cirkel, een kokarde, en de Britten schilderden de Union Jack op hun vliegtuigen. Die moest echter al gauw het veld ruimen voor een van de Fransen afgekeken kokarde (foto boven), omdat de vorm van de Britse vlag onder slecht zicht en van grote afstand te veel op het Duitse kruis leek. Het bleef niet alleen bij het aanbrengen van nationale tekens. Oorspronkelijk waren de met doek overtrokken delen niet beschilderd, hoogstens gelakt. Nu deed naast het kenteken, de squadroncijfers, identificatienummers of andere volgletters ook de camouflage haar intrede. Geparkeerde toestellen waren door het onbeschilderde linnen zeer opvallend. De camouflagekleuren, meestal bruin en groen, werden op de bovenkant van de romp en de vleugels aangebracht. De Duitsers vervingen deze methode al snel door beschildering in ruitvormige patronen, waarbij kleurrijk bedrukt linnen met een honingraatachtig patroon de omtrekken van het vliegtuig deed vervagen (foto onder).

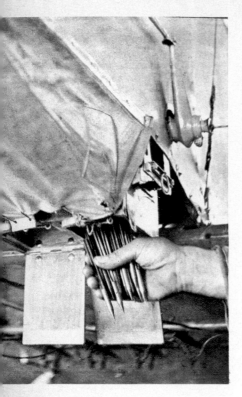

Stalen pijlen tegen de infanterie

De rol van verkenner, die het vliegtuig in het begin van de oorlog toegewezen kreeg, werd al spoedig verdrongen door 'n andere, die veel belangrijker was: het vliegtuig moest in het offensief. Op 25 augustus 1914 kwamen drie Britse toestellen een eenzame *Rumpler Taube* tegen. De leider dook achter de Duitse machine aan tot zijn propeller nog maar een meter van diens staart verwijderd was; de twee anderen gingen ieder aan een kant van de Duitser vliegen. Die begreep er niets van en zette zijn machine aan de grond. De Britten landden ook en de Duitse piloot maakte zich in paniek uit de voeten. Nadat ze de *Taube* in brand hadden gestoken, stegen de drie Britten weer op. Zo boekten ze de eerste overwinning in de lucht. Daarna namen piloten al spoedig pistolen of geweren mee en trachtten ze vijandelijke toestellen neer te halen. Maar voordat bewapening standaard werd op militaire vliegtuigen, zijn er vele merkwaardige ideeën geopperd en weer afgedankt.

De Nederlanders voorzagen hun *Farmans* van een soort anti-infanteriewapen: onder de romp bevestigden ze een aantal bakjes vol stalen pijlen. Met een touwtje werd de onderkant van het bakje opengetrokken zodat de pijlen naar beneden vielen.

De Fransen vonden iets beters uit. Ze bewapenden enkele *Nieuports* met vuurpijlen die ze aan de vleugelstutten monteerden: een effectief wapen tegen ballons en loopgraven.

Met twee ton bommen over de Noordzee

De eerste bombardementen die vanuit de lucht zijn uitgevoerd, omvatten niet veel meer dan het naar beneden gooien van handgranaten en, als er niets anders voorhanden was, zelfs hamers. Dit gebeurde voornamelijk vanuit de kleine tweedekkers tijdens verkenningsvluchten. Aan beide kanten kwam men ongeveer tegelijkertijd op het idee een speciaal aangepast toestel te ontwikkelen voor het vervoeren en afwerpen van bommen. In die tijd gold: hoe zwaarder de last, hoe groter het vliegtuig — zodat de bommenwerpers werkelijk reuzenvliegtuigen werden. De Duitse Zeppelinfabriek bouwde 'n tweemotorig toestel met een spanwijdte van meer dan veertig meter: de *Staaken*. Hiermee waren de Duitsers in staat de Noordzee over te vliegen om een last van twee ton aan bommen boven Britse steden uit te werpen (foto boven). Het Britse antwoord hierop was de ontwikkeling van de *Handley-Page 0/400*, die bijna één ton bommen kon vervoeren. De Britten bestookten met dat toestel dag en nacht de Duitse steden. Vluchten over lange afstanden waren in die tijd echter nogal hachelijk: de betrouwbaarheid van de vliegtuigen liet vaak te wensen over, zoals blijkt uit deze bij Laon buitgemaakte *0/400* (onder).

Schieten in de vliegrichting

Probleem: waar zet je op een jager het machinegeweer? De oplossing van die kwestie liet niet lang op zich wachten. Het beste was de mitrailleur zo te plaatsen, dat hij in de vliegrichting schoot. Dit maakte het richten aanzienlijk gemakkelijker; de piloot hoefde zijn toestel immers alleen maar recht op het doel af te sturen. Men ging ertoe over de mitrailleur op de bovenste vleugel te monteren, met als nadeel dat de piloot, wilde hij kunnen schieten, half op moest staan. Een Franse wedstrijdpiloot,

Roland Garros, vond er iets op. Hij liet het geweer op de motorkap van zijn *Morane-Saulnier*-hoogdekker monteren, zodat de kogels dwars door het veld van de propeller vlogen. Om te voorkomen dat de propeller aan flarden werd geschoten, bracht hij op elk blad een metalen wig aan, zodat de kogels die de propeller raakten afketsten, (foto's links en linksonder). Tijdens gevechten bleek deze opstelling een groot succes. De Duitsers ontdekten wat er aan de hand was toen Garros in de zomer van 1915 een noodlanding achter de Duitse linies moest maken. Zij gaven Anthony Fokker

opdracht iets beters te ontwerpen. Deze bracht op de propelleras een nok aan, zodat de mitrailleur stopte met vuren als er een blad voor de loop kwam. De geallieerde piloten spraken vanaf dat moment over de 'Fokkergesel'…

Zakenlieden zonder scrupules

Fokker vond voor zijn progressieve ontwerpen bij de Nederlandse regering weinig gehoor. De Duitse legerleiding toonde wel degelijk belangstelling en Fokker vertrok naar Duitsland, waar hij zich zonder veel scrupules liet naturaliseren. Gedurende de Eerste Wereldoorlog leverde hij meer dan 7000 toestellen aan de Duitse luchtmacht; de meeste types die hij ontwierp, behoorden tot de beste vliegtuigen ter wereld. Fokkers jagers waren de geallieerde vliegtuigen veruit de baas, wat nog versterkt werd toen hij zijn mitrailleursysteem in de *E III* inbouwde. Een van zijn beste jagers was de *Dr I*, een driedekker die de favoriet werd van vele Duitse luchtazen (foto boven). In die tijd meende men dat een groter vleugeloppervlak ook betere vliegprestaties betekende. Maar om een jager wendbaar te maken moesten de vleugels kort zijn en Fokker bouwde daarom drie vleugels boven elkaar. Het einde was nog niet in zicht. Een andere Nederlander, Frits Koolhoven, begonnen als ingenieur in een auto-fabriek, kreeg op zekere dag een vliegtuig met motorpech binnen. Toen hij het gammele geval zag, dacht hij: 'Dat kan veel beter.' Om als constructeur juister inzicht te krijgen besloot hij eerst te leren vliegen. Toen Koolhoven tijdens de Eerste Wereldoorlog als chef-ontwerper voor een Britse firma werkte, deed hij het nog beter dan Fokker; hij ontwierp een vierdekker, de *FK 10* (foto onder).

De ridders hebben geen lang leven

Mét de luchtgevechten ontstond er een nieuw soort piloten: de azen. Zij hadden niet veel met het oorlogsgeweld te maken: de oorlog werd uitgevochten op de grond, in de lucht traden de piloten tegen elkaar in het strijdperk als ridders uit de middeleeuwen. De grootste Franse luchtaas was Georges Guynemer, geboren in 1894. Als jongen oogde hij zo minnetjes, dat hij bij het uitbreken van de oorlog werd afgekeurd. Uiteindelijk wist Guynemer toch als vliegtuigmonteur in het leger te komen en te bereiken dat hij een vliegopleiding mocht volgen.

In 1915 kreeg hij zijn brevet en in juni van dat jaar behaalde Guynemer zijn eerste overwinning. Tijdens een van zijn vluchten ontmoette hij Ernst Udet, die het in de volgende oorlog tot generaal in de Luftwaffe zou brengen. Ze draaiden om elkaar heen en probeerden in de juiste posities te komen, toen Guynemer opeens merkte dat Udets mitrailleurs waren vastgelopen. Hij dook op hem af, maar in plaats van te vuren wuifde hij naar Udet en vloog weg. Na zeker zesmaal te zijn neergeschoten en 53 overwinningen te hebben geboekt, keerde Georges Guynemer in september 1917 niet meer terug van een patrouille.

Max Immelmann en de 'Rode Baron'

Ook aan Duitse zijde waren er azen, zoals de beroemdheden Max Immelmann en Manfred von Richthofen, de 'Rode Baron'.

Op 1 augustus 1915 bombardeerden de Britten het vliegveld waar Immelmann gestationeerd was. Hij sprong in een eendekker en joeg de Britten achterna. Immelmann pikte er een achterblijver uit en viel de machine aan. Nadat hij vele honderden schoten had afgevuurd, dook zijn vijand naar beneden. Het toestel landde op Duits gebied en Immelmann landde er vlak bij, sprong uit zijn machine en rende naar de Brit, die aan zijn linkerarm gewond bleek. Immelmann schudde hem de rechterhand en bracht zijn gevangene naar de dokter. Immelmanns eerste overwinning was onhandig en amateuristisch, maar hij was dolblij, want het gebeurde niet vaak dat een piloot zijn eerste gevecht al won.

Manfred von Richthofen dankte zijn bijnaam aan zijn *Fokker*, een knalrode *Dr I*. Hij was oorspronkelijk cavalerist, maar toen hij op weg naar het front in de trein het hoofd van de luchtmacht, Boelcke, zag maakte hij een praatje met hem. Boelcke merkte dat Von Richthofen bezeten was van het vliegen, maar dat het hem aan training en kennis ontbrak. Eén ding bezat Manfred echter wel en dat was vastberadenheid. Een jaar later kwam hij als leerling bij Boelcke terecht. Een uitmuntende piloot zou de Rode Baron nooit worden, maar wel bleek hij een uitstekende schutter; vaak voorzag hij met behulp van zijn jachtgeweer het hele eskader van avondeten. Dit scherpschieten kwam hem in de lucht goed van pas en aan het eind van zijn carrière had de Rode Baron (op foto onder in het midden) dan ook 80 overwinningen op zijn naam gebracht.

Ook Nederland krijgt een luchtmacht

Eind 1911 werden in Nederland de eerste stappen gezet tot het oprichten van een luchtmacht. Al in het voorjaar had de Rotterdamse Vlieg-vereniging haar *Blériot* alsmede piloot van Bussel aan de legerleiding ter beschikking gesteld en daarna ging het leger voor verkenningsvluchten gebruik maken van bijna alle in Nederland aanwezige vliegtuigen en hun piloten. Nog in hetzelfde jaar kreeg kapitein Walaardt Sacré opdracht van staf-chef generaal Snijders tot het uitwerken van een organisatie voor een lucht-vaartafdeling. Het parle-ment voteerde geld voor de aankoop van een vlieg-veld en vier vliegtuigen. Dat vliegveld werd Soester-berg en op 1 juli 1913 was de oprichting van de luchtvaartafdeling (LVA) een feit. In 1916 organi-seerde de LVA een rond-vlucht boven Nederland, waarbij ook in Scheve-nin-gen werd neergestreken (foto boven). De uitrusting van de LVA was nogal een allegaartje van voormalige particuliere toestellen. De regering wilde wel machines in het buiten-land kopen, maar slaagde er niet in; men had ze daar zelf te hard nodig. Maar er werd wat op gevonden. In die tijd kwam het nog wel eens voor dat een buitenlandse piloot verdwaalde — ook boven Nederland. Hij werd dan gevangen genomen en het vliegtuig werd gecon-fisqueerd, zoals deze Duitse bommenwerper bij Venlo (foto onder). Was het vliegtuig nog in goede staat, dan werd het bij de LVA ingelijfd. Er werd dan overigens wel netjes voor betaald: in goud of in paarden.

Bescherming van de vloot

De ontwikkeling van het watervliegtuig liep iets achter bij die van de jagers, maar ook hier zorgde de oorlog voor een versnelde opmars. Vooral de Britten zaten niet stil. Zij hadden immers niet alleen hun eiland te verdedigen, maar ook hun uiterst belangrijke vloot. Om de vloot overal te kunnen beschermen tegen aanvallen en spionage moesten vliegtuigen worden meegenomen.
In het begin maakte men aan boord plaats voor een watervliegtuig, dat met een kraan te water gelaten en daarna weer opgevist kon worden. Later bouwde men een houten platform over een gedeelte van het dek en de geschutskoepels. Kleine vliegtuigen, zoals de *Sopwith Pup* (foto boven), konden van dat platform opstijgen; de rails zorgden ervoor dat het toestel in de juiste koers bleef. Watervliegtuigen hadden één groot nadeel. Water is niet zo keurig vlak als een landingsbaan en de stevigheid van de vliegtuigen liet vaak te wensen over, zodat landingen meermalen in een crash eindigden. Een geluk bij een ongeluk was dat de toestellen van hout waren; daardoor werden piloot en machine vaak gered.

Engeland helpt de Russische tsaar

Niet alleen in West-Europa werd gevochten, de Duitsers rukten ook Rusland binnen. In de lucht stelde de Russische gevechtskracht weinig voor. De Russen beschikten slechts over een paar lange-afstands-bommen-werpers (gebouwd door Sikorsky), waarmee ze vanaf februari 1915 aan-vallen op Duitsland en Litouwen uitvoerden. De enkele jagers die ze bezaten, konden niet worden ingezet, daar hun vliegbereik veel te klein was. In 1917 kregen de Russen thuis hun handen vol aan de Oktober-revolutie. De Witrussische jagers hielden het niet lang vol in de strijd: de communisten slaagden er al spoedig in de vlieg-tuigen buit te maken, zoals deze gestrande *Nieuport 17* (bovenste foto). De Britten hielden de gebeurtenissen in Rusland scherp in de gaten en toen bleek dat de communisten de overhand kregen, stuurden ze enkele eskaders *Fairey-III-*bommenwerpers met personeel om aan de Witrussische kant mee te vechten (onderste foto).

Vliegensvlug vervoer van passagiers en post

Aan de eerste voorzichtige stappen passagiers in luchtschepen te vervoeren kwam door de oorlog al spoedig een eind. Het vliegtuig maakte gedurende de vier jaar van de Eerste Wereldoorlog zo'n snelle ontwikkeling door, dat het luchtschip er na 1918 niet meer aan te pas kwam. Daarvoor in de plaats verschenen de eerste passagiersvliegtuigen. Dat waren min of meer aangepaste militaire toestellen, waar de passagiers in de openlucht op de plaats van de waarnemer zaten. In Duitsland werd begin 1919 alweer een luchtlijn opgericht. De *Deutsche Luft-Reederei* begon met een traject tussen Berlijn en Weimar, waarbij ze gebruik maakte van omgebouwde *AEG JII's* (foto boven). Het was een goede stap voorwaarts: op de plaats waar vroeger de schutter zat, bevond zich nu een gesloten cabine met deur en opstapje voor twee passagiers. De piloot moest genoegen nemen met de openlucht. Het bleef niet bij passagiers, ook voor de post was het snelle vliegtuig een nuttig vervoermiddel. Op 3 maart 1919 vlogen Eddie Hubbard en William Boeing, op foto onder bij hun *Boeing C-700*, de eerste internationale luchtpostroute van Vancouver naar Seattle.

Albert Plesman, wegbereider van KLM

In 1918 was de oorlog voorbij. Honderden piloten en mecaniciens zaten zonder werk. Rijen vliegtuigen stonden aan de grond. 'Er moet iets gebeuren,' dacht Albert Plesman, een jonge luitenant bij de LVA. Met lede ogen zag hij hoe overal luchtvaart- maatschappijen uit de grond rezen en toen bovendien de Britten in Nederland een vliegdienst wilden opbouwen, was voor hem de maat vol. Plesman besefte echter wel dat een vliegbedrijf niet zomaar kon worden opgericht. Eerst moest het idee van een luchtlijn stevig wortel schieten bij het publiek. Met volle medewerking van generaal Snijders organiseerde hij de Eerste Luchtverkeer-Tentoonstelling Amsterdam, de ELTA. Op 1 augustus 1919 opende koningin Wilhelmina met Plesman en Snijders (rechts op foto hieronder) de ELTA. De tentoonstelling trok meer dan een half miljoen bezoekers. Dat deel van Plesmans plan was gelukt; nu kon hij verdere ideeën uitwerken. Op 7 oktober 1919 werd de *Koninklijke Luchtvaartmaatschappij voor Nederland en Koloniën* opgericht. Het militaire vliegveld Schiphol werd overgenomen en met gecharterde vliegtuigen van de *Aircraft Transport & Travel Ltd.* werden de eerste vluchten uitgevoerd. Op 17 mei 1920 vertrok uit Engeland het eerste toestel met aan boord twee Britse journalisten, een pak kranten als luchtvracht en een brief van de Lord-Mayor van Londen aan de burgemeester van Amsterdam (onderste foto).

Meer comfort voor de passagiers

De militaire vliegtuigen waren solide, sierlijk en snel, maar bepaald niet geschikt voor het vervoeren van passagiers. Daar kwam bij dat ze gebouwd waren zonder dat er op de centen was gelet, wat tot gevolg had dat ze niet erg zuinig in het gebruik waren en vaak zeer specialistisch onderhoud nodig hadden. Al deze nadelen kwamen echter pas na vele maanden vliegen aan het licht.
Er ontstond spoedig vraag naar echte passagiers-vliegtuigen die op de tekentafel geboren waren. Frits Koolhoven, nog steeds in dienst van de Britse *Armstrong-Whitworth*-fabrieken, komt de eer toe het eerste echte passagiersvliegtuig te hebben ontworpen: de *FK 26* (foto boven). De passagiers moesten acrobatische toeren verrichten om in de cabine te komen. De piloot bleef in de openlucht zitten, omdat hij anders niet kon 'voelen' hoe hij vloog.
Het eerste modern ogende verkeersvliegtuig, de *F 13* kwam uit de *Junkers*-fabriek: een eenmotorige laagdekker, opgebouwd uit golfstaal, wat later zo kenmerkend zou worden voor andere *Junkers*-types. De vrijdragende vleugels hadden het voordeel dat er geen spandraden meer nodig waren. De gesloten cabine bood plaats aan vier passagiers (foto onder).

Over de oceaan, maar nog niet non-stop

De Daily Mail is altijd een vurig promotor van vlieg-prestaties geweest. Na Blériot duizend pond te hebben overhandigd, voor diens Kanaal-tocht, loofde de krant in 1913 tienmaal die som uit voor het volbrengen van de eerste oceaanoversteek. Voordat een poging ondernomen kon worden, gooide de oorlog roet in het eten, maar na 1918 werd het bedrag weer uit de brandkast gehaald. In mei 1919 ondernam de Amerikaanse marine het waagstuk. Ze liet Glenn Curtiss vier speciale viermotorige vliegboten bouwen: de NC 1 tot NC 4, waarvan de NC 2 als reserve werd gebruikt. Op 8 mei vetrokken de drie vliegboten van Long Island, richting Azoren. Slechts één machine, de NC 4, wist de Azoren vliegend te bereiken. De NC 1 moest een noodlanding maken en verongelukte, de NC 3 maakte ook een nood-landing, maar legde de laatste 360 km varend af. De NC 4 steeg weer op van de Azoren en bereikte op 29 mei de haven van Lissabon (foto onder). Weliswaar was dit de eerste oversteek van Amerika naar Europa, maar het was geen directe, dat wil zeggen: non-stopvlucht.

Twee Britten doen het zonder tussenlanding

Het succes van de Amerikanen werd nauwelijks een maand later overtroffen door een andere vlucht. Ditmaal een veel gewaagdere onderneming, want men probeerde het nu met een landvliegtuig. Twee Britten, John Alcock en Arthur Whitten Brown (op foto boven voor hun speciaal omgebouwde *Vickers-Vimy*-bommenwerper) stegen op 14 juni op van St. Johns, Newfoundland. Zij kwamen bijna meteen in zulk slecht weer terecht, dat Brown er pas na tien uur in slaagde hun positie te bepalen. Even later bevonden ze zich in een zo dikke wolkenbank, dat ze de tippen van de vleugels niet meer zagen. Alcock kon zich niet meer oriënteren. Het vliegtuig gleed af en zakte snel naar de onzichtbare zee. Op 150 meter braken ze door de wolken en Alcock kon de machine maar net rechttrekken. Een uur later vlogen ze door sneeuw en hagel. Het was zo koud, dat Brown af en toe op de romp moest klimmen om het ijs van de benzine-toevoermeter te vegen. Hij zei later: 'Er was nauwelijks enig gevaar, zolang John de machine maar recht hield.' Na 15 uur vliegen doemde de Ierse kust op. Vanwege de nog steeds laag hangende bewolking besloten ze te landen. Het uitgekozen veld bleek een moeras te zijn en de machine kwam op z'n neus tot stilstand. Beide mannen liepen echter geen verwondingen op.

Een juiste voorspelling

Zondag 7 december 1941, zeven uur. De Amerikaanse marine slaapt nog. Alleen achter het radarscherm is iemand wakker. Plotseling ziet hij twee geheimzinnige stippen op het scherm. Om 7.10 uur worden ze gerapporteerd aan de dienstdoende officier. 'Niets aan de hand,' zegt hij, 'dat zullen de *B 17*s zijn die we verwachten.' Nauwelijks drie kwartier later breekt in Pearl Harbor de hel los als de eerste golf Japanse vliegtuigen aanvalt. Na twee uur is Pearl Harbor

één grote ruïne.
Wat heeft dat te maken met William Mitchell, die in 1936 is gestorven? Hij had het voorspeld, bijna zes jaar voor het gebeurde. In zijn boek *The Wild Blue Yonder* schreef Emile Gauvreau nauwkeurig op wat Mitchell beschouwde als de grootste bedreiging van de Verenigde Staten: '...Hawaii wemelt van Japanse spionnen. Zoals ik al eerder heb gezegd: dáár zal de klap vallen... op een rustige zondagmorgen.' Maar zij die verantwoordelijk voor de defensie waren, wilden hem niet geloven. In 1906, nog zelfs voor

het Amerikaanse leger ook maar één toestel bezat, zei Mitchell: 'Conflicten zullen zonder twijfel in de lucht beslist worden.' Twintig jaar later schreef hij zelf in een boek, *Winged Defence:* 'In de toekomst zullen alle operaties worden uitgevoerd onder bescherming vanuit de lucht.' Niemand schonk er aandacht aan. Mitchells uitgesproken veroordeling van de defensie had tot gevolg dat hij voor de krijgsraad kwam en werd gedegradeerd. Hij wilde die vernedering niet ondergaan en nam ontslag.

De miskenning van William Mitchell

Rond 1910, toen William Mitchell zich in oorlogsstrategie verdiepte, werd hem gevraagd een rapport op te stellen over het gebruik van vliegtuigen. Hij deed dat zo goed, dat hij prompt dé expert werd op het gebied van de luchtkrijg. Hij toog naar het front toen de VS bij de Eerste Wereldoorlog betrokken raakten en hij ontwikkelde een plan voor de Amerikaanse luchtvloot in Frankrijk. Een van zijn voorstellen behelsde het opbouwen van een strategische luchtmacht, maar het werd afgekeurd. In 1919 keerde Mitchell naar Amerika terug en stelde daar tot zijn grote schrik vast dat de VS-luchtmacht tot vijf procent van de oorlogssterkte was ingekrompen. Mitchell deed alles om zijn theorieën ingang te doen vinden. Toen hij de marine voorstelde met tests te bewijzen dat oorlogsschepen niets konden uitrichten tegen bommenwerpers, werd dat botweg afgewezen. Die tests werden uiteindelijk toch uitgevoerd en een groep *Martin*-bommenwerpers (waarvan foto hieronder een exemplaar toont) boorde drie voormalige Duitse oorlogsschepen de grond in, incluis de 'onzinkbare' *Ostfriesland* (foto rechts op bladzij 44).
In 1923 deelden twee afgedankte Amerikaanse schepen hetzelfde lot (foto geheel onder). Dat leverde het bewijs dat de dagen van de marine voorbij waren, vond Mitchell. De marine weersprak dat echter en argumenteerde dat de tests heel anders zouden zijn afgelopen als de oorlogsschepen niet onbemand waren geweest en tegenstand hadden kunnen bieden...
De marine kreeg officieel gelijk en Mitchell moest zich teleurgesteld terugtrekken. Hij stierf in 1936, na meer dan tien jaar van leer te hebben getrokken tegen wat hij noemde de 'bijna misdadige incompetentie van de nationale defensie'.

Records en races

Dank zij de technologie was het mogelijk snelle machines te bouwen: raceboten, racewagens én racevliegtuigen. Het racen met vliegtuigen maakte vooral in Amerika opgang. Van aërodynamica wist men nog niets, zodat ingekorte vleugels en snellere motoren in de praktijk beproefd moesten worden, wat vaak ongelukken tot gevolg had. In Amerika namen de *Gee Bee*'s (GB = Granville Brothers) het al snel van de oude twee-dekkers over. De machines leken slechts uit één reus-achtige stermotor te bestaan (foto onder, pag. 46). In 1932 vloog Jimmy Doolittle met een *Gee Bee* 476 km per uur, een record voor landvliegtuigen. In 1934 werd de MacRobertson-race gehouden, van Engeland naar Australië. Hiervoor bouwde de *De Havilland*-fabriek drie speciale toe-stellen: de *D.H. 88 Comet*. Deze moest niet alleen het snelst zijn, maar ook een groot vliegbereik hebben. De *Comet* was zo futuristisch dat alle andere toestellen op slag verouderd leken. Het vliegtuig had twee 230-pk-zes-cilindermotoren en de romp bevatte niet veel meer dan een benzinetank en een cockpit.
De *Black Magic* (voorgrond foto boven) was eigendom van het echtpaar Jim en Amy Mollison. Ze vlogen er non-stop mee naar Bagdad. In Allahabad moesten ze zich terugtrekken, omdat de motoren beschadigd waren door slechte benzine. De *Black Magic* werd later aan de Portugese regering verkocht, die er postvluchten van Lissabon naar Rio de Janeiro mee uitvoerde.

Snelle prijsvliegers te water

Voor watervliegtuigen bestond al jaren een prijs: de Schneider-trofee. Jacques Schneider was van origine mijningenieur, maar sinds de vliegkoorts na het bezoek van Wilbur Wright door heel Frankrijk waarde, gaf hij al zijn energie aan de luchtvaart. In 1911 haalde hij zijn vliegbrevet én zijn diploma als ballonvaarder. Schneider was ook een fervent autoracer, maar na een ongeluk in Monaco legde hij zich toe op het organiseren van vlieg-wedstrijden. Het viel hem op dat het watervliegtuig een ondergeschoven kind was en om daar iets aan te doen stelde hij in 1912 de Schneider-trofee in. Rond 1923 werden de vliegboten uit de wedstrijd verdrongen door de snellere watervliegtuigen. De Amerikanen sleepten keer op keer de prijs in de wacht met hun *Curtiss*-tweedekkers. Het duurde tot 1926, toen een Italiaanse *Macchi* (bovenste foto) hun de prijs afsnoepte. Daar kwam al snel verandering in toen de Britten zich in de strijd mengden. Reginald Mitchell, de 'vader' van de *Spitfire*, trad in 1916 in dienst van de fabriek *Supermarine*. In de jaren twintig wierp hij zich op het ontwerpen van een racevliegtuig voor de Schneider-trofee. Tien jaar lang worstelde hij met be-lastingproeven op vleugels, trillende staartvlakken en met de krachtige maar zeer kwetsbare racemotoren. Dat leidde tot een enorm snelle machine: de *Supermarine S 4*, aangedreven door een V-12-*Rolls Royce*-motor (onder). De Britten wonnen met dit toestel en de latere types, de *S 5* en de *S 6*, driemaal de Schneider-trofee.

Met een Fokker naar Batavia

In 1919 looft het Indische gouvernement de som van f 10.000 uit voor de eerste Nederlandse vlieger die binnen veertien dagen het traject Nederland-Batavia aflegt. Het duurt tot 1923 voor de handschoen wordt opgenomen. Verkeersvlieger Thomassen à Thuessink van der Hoop stelt een plan voor de tocht op en stapt er-mee naar Albert Plesman. Ook generaal Snijders is ervóór en hij sticht het 'Comité Vliegtocht Nederland-Indië' om geld bij elkaar te krijgen. Op 1 oktober 1924 vertrekt een van de nieuwste Fokkers, de F 7 H-NACC (foto hieronder), vanaf Schiphol voor de bijna 16.000 km lange tocht. Aan boord bevinden zich Van der Hoop, H. van Weerden Poelman en P. van den Broeke. Na 4 oktober

wordt er niets meer van hen vernomen. Telegrammen naar Belgrado, antwoord blijft uit. Het ministerie van buitenlandse zaken wordt ingeschakeld; nog steeds niets. Dan komt het blijde bericht: de F 7 heeft bij Belgrado een noodlanding moeten maken, omdat het koelwater verloren ging. Tijdens de landing zakt het toestel door het rechter landingsgestel. De motor is onherstelbaar kapot; er moet uit Nederland een nieuwe komen. Maar het Comité heeft geen geld meer. Dan komt het bericht dat het weekblad 'Het Leven' f 12.000 wil geven voor een nieuwe motor. Na veel avonturen komt de motor op 13 oktober bij het toestel aan. Begin november kan de Fokker weer verder en op 24 november arriveert de H-NACC in Batavia. De tocht is volbracht.

Vliegen naar de uithoeken der wereld

Tochten naar de pool hebben altijd tot de verbeelding gesproken. In 1911 was men er al in geslaagd beide polen te voet te bereiken, maar het idee om erheen te vliegen was nieuw. In mei 1923 arriveerde schout-bij-nacht Richard Byrd met een driemotorige *Fokker F 7B* op Spitsbergen. Met dat toestel, de *Josephine Ford* (foto linksonder), hoopte hij de noordpool te bereiken. Op het eiland werd de *Fokker* van ski's voorzien en op 9 mei vertrok Byrd met piloot Floyd Bennett. Om 9 uur 's avonds kwamen ze boven de geografische noordpool aan en vlogen een kwartier lang rondjes om hun positie exact te bepalen. Vroeg in de ochtend landden ze na een vlucht van ruim 2500 km weer op Spitsbergen. Een andere *F 7B* draagt de beroemde naam *Southern Cross*. Hiermee vlogen de Australiërs Charles Kingsford Smith en Charles Ulm in 1928 over de Stille Oceaan: in drie etappes van Californië naar Australië. Zeven jaar later vloog de *Southern Cross* met hetzelfde koppel van Australië naar Nieuw-Zeeland en terug. Toen de regering van Nieuw-Zeeland hun de prijs van 2000 pond overhandigde, zei Kingsford Smith: 'We zijn hier niet naartoe komen vliegen voor 2000 pond, maar om twee buitenposten van het koninkrijk te verbinden.' En hij meende het — die vlucht was het bewijs dat tussen beide gebieden een luchtdienst mogelijk was. Kingsford Smith vloog naar Nederland om bij Fokker meer vliegtuigen te bestellen; op foto rechts staat Anthony Fokker in het midden; de tweede van links is Kingsford Smith.

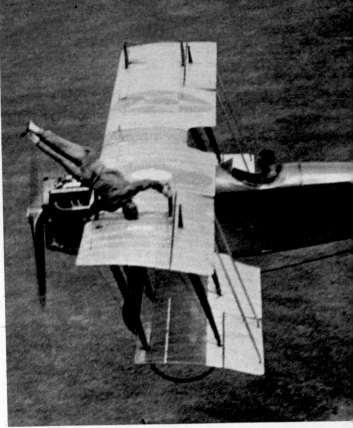

Wereldreizen en het 'vliegend circus'

In de jaren twintig is het vliegtuig zo stevig en betrouwbaar geworden, dat vliegen niet langer een hachelijke zaak is. Dat opent grote mogelijkheden, vooral voor lange-afstandsvluchten. Overal trachten piloten records te vestigen of te breken. Er worden pogingen ondernomen om oceanen en continenten over te steken en als grootste prestatie geldt een vlucht rond de wereld. In 1924 vertrekken de Amerikanen Lowell Smith en Leslie Arnold in een *Douglas World Cruiser* (hierboven) van Seattle in westelijke richting. Na een reis van 175 dagen, waarvan bijna 16 dagen vliegtijd, komen ze in hun toestel *Chicago* weer op het vertrekpunt terug. Zulke piloten werden helden; ze haalden de voorpagina's van de kranten, maar van het publiek bleven ze ver verwijderd. In die gang van zaken brachten *barnstormers* verandering. Dat waren piloten die van dorp naar dorp vlogen, van een boer een weiland huurden en voor het toegestroomde volk voor een klein bedrag rondvluchten verzorgden. Ook traden de *barnstormers* wel als een team op: een piloot en een stuntman. Als er genoeg mensen bij het weilandje verzameld waren, stegen ze samen op en de stuntman verrichtte dan allerlei halsbrekende toeren.

'Spirit of St. Louis' non-stop naar Parijs

De Atlantische Oceaan is altijd een barrière geweest voor de handel tussen Europa en beide Amerika's. De commerciële waarde van een verbinding door de lucht werd al lang voordat deze technisch mogelijk was, onderkend. De vluchten van de Amerikaanse vliegboten en van Alcock en Brown bewezen dat het kón, maar als commerciële ondernemingen hadden ze niets te betekenen. Toe-komstige verkeersmachines zouden het zónder tussen-landingen moeten doen, en liefst van stad tot stad. Voor de eerste non-stop-vlucht van New York naar Parijs (of omgekeerd) werd al in 1920 een bedrag van 25000 dollar uitgeloofd. In 1924 vloog de *Chicago* in etappes over de oceaan, maar in 1927 moesten twee Amerikanen en vier Fransen hun pogingen met de dood bekopen. Op 21 mei van datzelfde jaar landde er iemand op het vliegveld van Parijs. Dat was Charles Lindbergh, die 33 uur tevoren uit New York was vertrokken. Die eerste non-stop-solovlucht over de oceaan ontketende zoveel publieke bewondering, dat er van het vliegtuig weinig overbleef nadat souvenirjagers er hun handen naar hadden uit-gestoken (foto onder). Lindbergh, 25 jaar oud, had een natuurlijke aanleg voor vliegen en was ook een uitstekende navigator. Zijn vlucht toonde vakman-schap en moed, en ook zijn vertrouwen in de een-motorige *Ryan NYP*. Buiten de motor en de simpele cockpit, vanwaaruit Lindbergh alleen met een periscoop recht vooruit kon kijken, was de *Spirit of St. Louis* weinig meer dan een vliegende benzinetank.

Verkenners gaan de lijndiensten vooraf

Barnstormers vlogen ook in Engeland. Alan Cobham, later sir Alan, was piloot en directeur van de grootste onderneming: het 'Air Circus'.
Na een paar jaar daarmee door Engeland te zijn getrokken, werd Cobham opgemerkt door *Imperial Airways*. Cobham trad in dienst van de luchtvaartmaatschappij en in opdracht daarvan reisde hij samen met fotograaf Emmott

in een *DH 50J* het hele land af. Zij gingen na of er een markt was voor lijndiensten tussen de verschillende steden.
Later vroeg *Imperial Airways* Cobham ook in andere landen te gaan kijken. Op 20 november 1924 vertrok hij met de directeur van *Civil Aviation* naar Rangoon in Birma. Na ruim 27000 km te hebben afgelegd, arriveerden ze op 18 maart 1925 weer in Londen. Ruim een jaar later ging Cobham er weer op uit, ditmaal in gezelschap van Emmott en

mecanicien Elliott. In dezelfde *DH 50J*, nu uitgerust met drijvers (foto), vlogen ze naar Kaapstad en terug. Ongelukkig genoeg werd Elliott gedood door een verdwaalde kogel uit het geweer van een bedoeïen terwijl ze over de woestijn tussen Bagdad en Basra vlogen.

Door de lucht
naar de noordpool

De Noorse ontdekker
Roald Amundsen ondernam
twee pogingen de noordpool
via de lucht te bereiken.
De eerste, in 1925, faalde
ten gevolge van een koers-
afwijking van drie graden
(290 km). Tijdens de tocht
raakte een van beide vliegboten vast in het ijs en
moest worden afgeschreven.
Amundsen, vergezeld door
zijn Amerikaanse sponsor
Ellsworth en twee beroemde
piloten, Hjalmar Riiser-

Larsen en Oskar Omdal,
keerde met de andere
vliegboot heelhuids terug.
Nauwelijks was hij
thuis of Amundsen wilde
het nog een keer
wagen, maar ditmaal met
een luchtschip. Riiser-
Larsen vertrok naar Italië
om te onderhandelen over
het gebruik van de N 1, gebouwd door Umberto Nobile.
Hij kon het luchtschip huren,
maar Mussolini stond erop
dat tenminste vijf leden
van de bemanning Italianen
zouden zijn en dat Nobile
het commando zou voeren.

Op 11 mei 1926 vertrok
het luchtschip, dat
door mevrouw Riiser-
Larsen *Norge* gedoopt was.
Even na middernacht
bereikten de reizigers
de noordpool, waar ze de
vlaggen dropten van drie
naties. Drie dagen later
arriveerden ze in
Teller in Alaska.

Kruising tussen vliegtuig en helikopter

Behalve met ronddraaiende en vaste vleugels werd in de jaren twintig geëxperimenteerd met iets dat er eigenlijk tussenin viel· de autogiro. De basisgedachte daarvan was: een romp van een vliegtuig met motor, maar zonder echte vleugels. Boven op de romp draaide een rotor, die niet door een motor werd aangedreven; wanneer de machine startte, ging de rotor door de voorwaartse snelheid draaien en zorgde zo voor de benodigde stijgkracht. De man achter dat idee was de Spanjaard Juan de la Cierva en hij kwam erop toen hij een studie maakte van de neiging van vliegtuigen om bij afnemende snelheid plotseling uit de lucht te vallen. Bij de autogiro zouden de draaiende vleugels altijd hun snelheid behouden, zodat de machine veilig heel langzaam kon vliegen. De eerste vluchten van Cierva's autogiro, de C 4, vonden in 1923 plaats bij Madrid (foto boven). In 1925 vertrok Cierva naar Engeland en de Avro-fabriek bouwde enkele toestellen naar zijn ontwerpen. In de jaren dertig waren de autogiro's geheel ingeburgerd; de RAF bezat zelfs een speciaal squadron. In 1939 werden er nog enkele types gebouwd (foto links), maar in de Tweede Wereldoorlog werden ze door de helikopter verdrongen.

Een vliegtuig voor iedereen...

In de periode tussen beide wereldoorlogen geloofden enthousiaste lieden, piloten en vliegtuigbouwers, in 'vliegen voor iedereen'. In hun dromen voorzagen ze de dag dat iedereen behalve een auto ook een vliegtuig zou bezitten! Sommigen dachten dat het lichte vliegtuig de auto geheel zou verdringen. Al die dromen zijn nooit uitgekomen, hoewel in de VS dat idee enigszins benaderd is. Na de Eerste Wereldoorlog waren er duizenden jongelui die hadden leren vliegen en velen wilden die nieuwe vaardigheid ook in het burgerleven beoefenen. Sommigen vonden er een bestaan in, voor anderen was het vliegen zulver een vrije-tijdsbezigheid. Er waren duizenden vliegtuigen over en voor een zacht prijsje kon men een afgedankte machine kopen. Maar net als de eerste passagierstoestellen waren ze niet economisch en niet makkelijk te onderhouden. Er ontstond behoefte aan speciale types voor de particuliere vliegerij. In Engeland werd een competitie uitgeschreven in het ontwerpen van lichte vliegtuigen. De *De-Havilland*-fabriek construeerde de *DH 60 Moth* (boven), waarvoor de jagers uit de Eerste Wereldoorlog als direct voorbeeld dienden. De enige verschillen waren een lager gewicht en een minder krachtige motor. Datzelfde gold voor de *Hawker Cygnet* (onder), ontworpen door Sydney Camm. De *Cygnet* was in die tijd een waar meesterstuk op het gebied van gewichtsbesparing.

Toen vliegen nog een luxe was

De proefvluchten die sir Alan Cobham in opdracht van *Imperial Airways* had uitgevoerd, waren tot volle tevredenheid van die maatschappij verlopen en ze besloot dan ook lijndiensten tussen Londen en diverse steden op het vasteland van Europa te openen.
In het begin bestond de luchtvloot van *Imperial Airways* nog uit omgebouwde bommenwerpers, zoals de *HP 0/400*. De bouwer hiervan, *Handley Page*, kreeg alzo interesse in de verkeersvliegerij en ging over tot het bouwen van speciale passagiersvliegtuigen. *Handley Page* slaagde er zelfs in de *Fokker*- en *Junkers*-passagierstoestellen naar de kroon te steken. Speciaal voor *Imperial Airways* bouwde *Handley Page* de *Heracles*-klasse: de *HP 42*, het grootste passagiersvliegtuig van die dagen. Het was een viermotorige tweedekker met een spanwijdte van 39 meter. De bemanning was driekoppig en de zeer luxueuze cabine bood plaats aan 38 passagiers.

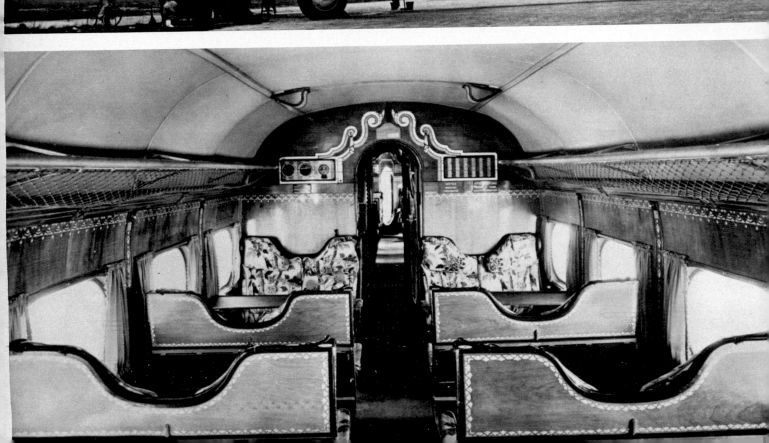

Brieven vliegen eerder dan mensen

De opkomst van het lucht-
transport in Amerika laat
een heel ander beeld zien
dan het gebeuren in Europa,
hoewel zich al spoedig
belangrijke ontwikkelingen
voordeden die de VS tot de
toonaangevende natie in de
burgerluchtvaart zouden
maken. Passagiersdiensten
ontstonden in Amerika
vreemd genoeg pas laat.
Terwijl in Europa de
commerciële luchtvaart
zich sinds 1920 steeds
intensiever manifesteerde,
werden in Amerika slechts
postdiensten op tamelijk
korte routes onderhouden.
Dat het passagiersvervoer
in Amerika maar langzaam
op gang kwam, vindt
zijn verklaring in de
veel grotere afstanden
tussen de steden en
in het feit dat de spoor- en
wegverbindingen omstreeks
1925 al snel en efficiënt
waren. Tot 1926 had het
U. S. Post Office een mono-
poliepositie op de vlieg-
routes, maar in dat jaar
nam de regering het beheer
van de routes en de
navigatiehulpmiddelen
over en werd het
particulier initiatief
meer gestimuleerd.
Terwijl in Europa de eerste
passagierstoestellen uit
afgedankte legervliegtuigen
ontstonden, werden in de VS
postvliegtuigen omgebouwd.
Een van de eerste
omgebouwde machines was
de *Boeing-40A*-tweedekker
(foto boven), die vier
passagiers kon bergen.
De twee bijna identieke
toestellen, een voor post
en een voor passagiers, zijn
Northrop Delta's (foto
onder), vliegend voor een
Zweedse maatschappij.

Royal Air Force maakt geen haast

De Eerste Wereldoorlog, 'de oorlog die aan alle oorlogen een eind zou maken', was voorbij. De luchtmachten die in die vier jaar geboren en zeer snel uitgegroeid waren, werden veelal gauw weer opgedoekt of vrijwel op non-actief gesteld. De Britse *Royal Air Force* bestond tot laat in de jaren twintig uit toestellen die in de oorlog ontwikkeld waren. Op de tekentafels stonden wel nieuwe jagers en bommenwerpers, maar men had geen haast. Eenmaal gebouwd waren die nieuwe machines niet veel meer dan iets verbeterde types uit de wereldoorlog met wat krachtiger motoren. Echte technische vernieuwingen deden zich niet voor.

Het duurde tot 1926 voordat de *RAF* nieuwe vliegtuigen tot haar beschikking kreeg. De eerste nieuwe jager was de *Siskin* (foto hierboven). Deze was opgebouwd uit een metalen frame en had een *Jaguar*-stermotor, die betere prestaties op grote hoogte kon leveren. Daarop volgde de *Hawker Fury*, een slanke gestroomlijnde tweedekker met een *Rolls-Royce*-motor (foto hiernaast rechts). Van dit type had de *RAF* méér toestellen in gebruik dan van enig ander type. De *Bristol Blenheim*, een bommenwerper, luidde voor de *RAF* het nieuwe tijdperk in. Het was een metalen eendekker, voorzien van twee 900-pk-stermotoren. Het toestel kon 500 kg bommen meenemen en had op de rug een geschutskoepel (kleine foto links).

Opstand in de Franse koloniën

De Franse luchtmacht werd in de eerste maanden na de Eerste Wereldoorlog bijna geheel afgeschaft; het vliegtuig had zijn taak uitgevoerd en er was niets meer te doen. De koloniën echter, vooral die in Afrika, waren gedurende de oorlog min of meer aan hun lot overgelaten. Ze hadden een stukje vrijheid geproefd en begonnen nu één voor één in opstand te komen. Frankrijk greep in en het vliegtuig was dé manier om troepen en materieel naar Afrika te brengen. De luchtmacht begon weer te groeien. *Amiot 140's*, tweemotorige bommenwerpers werden ingezet om troepen te vervoeren (bovenste foto). *Nieuport* bouwde voort op de succesvolle jagers uit de Eerste Wereldoorlog en ontwikkelde voor de Franse luchtmacht de *Nieuport Delage*, die op 15 februari 1923 het wereldsnelheidsrecord op 375 kilometer per uur bracht.

Onderste foto: drie *Delages* met op de achtergrond een *Toepolev ANT 6*, die een bezoekje kwam afleggen.

Luchtpost van Parijs naar Argentinië

Nog voor de Eerste Wereldoorlog was afgelopen raakte Pierre Latécoère, een Franse vliegtuigfabrikant, ervan overtuigd dat het vliegtuig in vredestijd uitstekende diensten kon bewijzen. Latécoère was een specialist op het gebied van watervliegtuigen en vliegboten. Hij richtte zijn blik op Zuid-Amerika, waar Frankrijk vele belangen had. In die tijd duurde het ruim twee maanden voordat een brief van Buenos Aires naar Parijs was verscheept en Latécoère wist dat het mogelijk moest zijn binnen één week antwoord op een brief te krijgen. In 1919 richtte hij de *Lignes Aériennes Latécoère* op, met de bedoeling via Marokko een postroute op Buenos Aires te onderhouden. Helaas konden de machines zo'n grote afstand nog niet overbruggen en daarom begon Latécoère met routes door Afrika. Ruim tien jaar later, op 12 mei 1930, vetrok *LAL*'s toppiloot Jean Mermoz in een *Latécoère-28*-watervliegtuig uit Senegal met 130 kg post aan boord; 21 uur later landde het toestel in de kustwateren van Natal. De verbinding tussen Parijs en Buenos Aires was een feit. Mermoz werd beroemd door zijn transatlantische vluchten. Op 7 dec. 1936 vertrok hij voor de 24ste maal in een viermotorige vliegboot: de *Latécoère 300, Croix du Sud* (foto). Vier uur na vertrek uit Dakar meldde hij per radio dat hij motorstoring had; daarna kwamen geen berichten meer door. Ondanks vele reddingspogingen is er nooit een spoor van Mermoz of zijn vliegtuig gevonden.

Parachutespringen: Ruslands nationale sport

De Russische luchtmacht was in de periode tussen beide wereldoorlogen in vergelijking met de westerse luchtmachten zeer goed uitgerust.
De *Polikarpov Po 2* was de standaardjager van de Russen en is waarschijnlijk het meest gebouwde vliegtuig aller tijden: er vliegen nu nog exemplaren rond, die voor allerlei doeleinden gebruikt worden. De machine werd ook veel ingezet bij het parachutespringen, destijds een nationale sport in Rusland. Later werd de *Po 2* door een andere jager uit de *Polikarpov*-fabrieken, de *I 15*, vervangen. Ook dit was nog een tweedekker, maar het toestel zou later in de Spaanse burgeroorlog zijn bruikbaarheid goed bewijzen (foto links).

De eerste echte propagandamachine

Andrei Nikolaevitsj Toepolev wordt wel de 'vader van de Russische luchtvaart' genoemd. Zijn carrière begint in 1920, als hij hoofd van de ontwerp-afdeling van het Centrale Instituut voor Luchtvaart wordt. In 1933 ontwerpt Toepolev een gigantische achtmotorige bommenwerper (zes in de vleugels en twee boven op de romp): de ANT 20, Maxim Gorki, ter ere van de bekende schrijver (foto hieronder). Het vliegtuig werd voor propaganda-doeleinden gebouwd. Aan boord bevonden zich een drukpers, filmcamera's, een donkere kamer en radio-apparatuur. Op 18 mei 1935 kwam de ANT 20 boven het Rode Plein in Moskou in botsing met een stuntende jager; het vliegtuig werd vernield. Een paar jaar later ontwierp Toepolev de ANT 25, een eenmotorige verkenner-bommenwerper. In 1937 bracht deze machine het wereld-lange-afstandsrecord op haar naam. Het toestel vloog van Moskou via de noordpool naar San Jacinto in Californië (onderste foto).

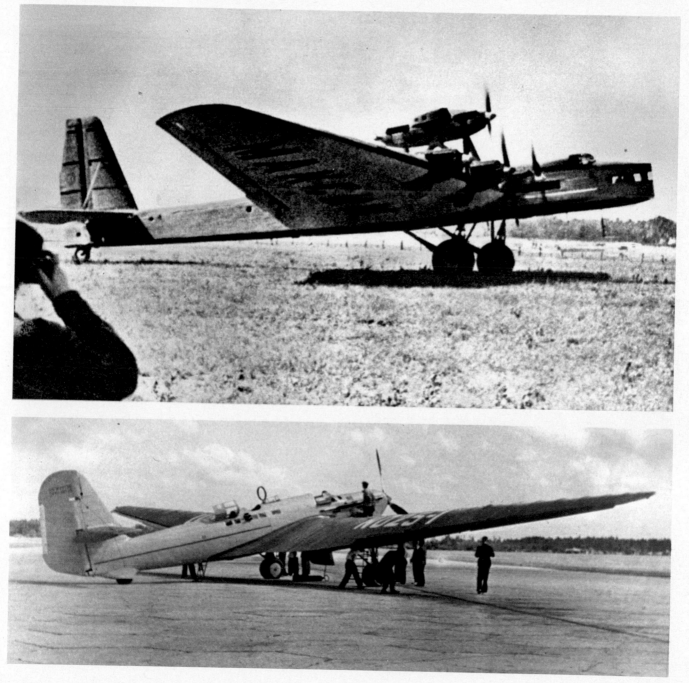

Duitse reuzen

De periode tussen 1930 en 1940 laat een overdaad aan kolossale vliegtuigen zien. Overal ter wereld kwam het ene reuzentoestel na het andere van de tekentafels. In Engeland was er de *HP 42* en in Rusland de *ANT 20.* In Duitsland, waar de vliegtuigontwikkeling tussen de oorlogen in snel tempo verliep, hielden de twee kopstukken, dr. Claude Dornier en prof. Hugo Junkers, zich bezig met het ontwerpen van enorme passagiersvliegtuigen. Dorniers grootste creatie, de 12-motorige *Do X,* haalde tijdens de eerste vluchten alle voorpagina's. Op 21 oktober 1929 maakte de *Do X* een proefvlucht met 169 mensen aan boord: 150 passagiers, 10 bemanningsleden en... 9 verstekelingen. Achter in het toestel was ruimte voor een eetzaal annex danszaal van 18 m lang. Mooi was het vliegtuig niet. Het

had meer weg van een boot dan van een vliegtuig, wat wel te zien is aan de machinekamer, die op een schip niet zou misstaan (foto boven en midden). Een beroemde en beruchte vlucht van de *Do X* was de reis van het Bodenmeer naar Amerika. Vertrokken op 2 november 1930 kwam het toestel na tal van ongelukken op 5 augustus 1931 in New York aan. De *G 38* van Junkers bood plaats aan 34 passagiers, met als nieuwtje dat er twee in de neus konden zitten en drie in elke vleugel, die allemaal een uniek uitzicht naar voren hadden. Van het type werden slechts twee exemplaren gebouwd; een ervan toont de onderste foto.

Fokker-lesvliegtuigen voor de Luftwaffe

In 1935 verklaarde Hitler het Verdrag van Versailles niet-bindend. Er werd weer een Duits leger opgebouwd en uitgerust, waarvan de luchtmacht een belangrijk onderdeel vormde. Het Duitse ministerie van luchtvaart gaf een paar fabrieken opdracht nieuwe vliegtuigen te ontwerpen: machines die sneller waren, een groter vliegbereik hadden en over een betere bewapening beschikten dan hun voorgangers. In die periode werd ook in Duitsland een nieuwe generatie vliegtuigen geboren: de eendekkers. De piloten van de kersverse Luftwaffe kregen hun opleiding echter nog in tweedekkers. Dat de internationale verhoudingen wel vreemd door elkaar lagen blijkt uit het feit dat veel Luftwaffe-piloten hun opleiding kregen op het vliegveld van Lipetzk, een dorp in Rusland (foto boven).
Nog veel merkwaardiger is het dat er Nederlandse *Fokker D 13's* als lesvliegtuigen werden gebruikt (foto midden). Het eerste nieuwe-generatie-toestel dat operationeel werd in de Luftwaffe was de *Junkers Ju 87*, een een-motorige duikbommen-werper (foto hieronder). Die eendekker, die nu alom bekend staat als de *Stuka* (Sturzkampfflugzeug), had een zeer demoraliserende uitwerking op de tegen-stander doordat hij tijdens de duikvlucht met behulp van een sirene een allerijselijkst gehuil produceerde.

Metalen laagdekkers ook in de burgerluchtvaart

Niet alleen in de militaire, maar ook in de burgerluchtvaart brak de eendekker door. Voor de ontwikkeling van het verkeersvliegtuig maakten de meeste landen gebruik van reeds bestaande militaire types, veelal bommenwerpers. In Duitsland nam de *Lufthansa* in 1933 de *Heinkel He 111C* in dienst, een bommenwerper die in de 'Battle of Britain' een grote rol zou spelen. De glazen neus en de rugkoepel verdwenen en het bommenruim werd omgebouwd tot passagierscabine (boven). In Engeland leidden de ervaringen die *De Havilland* had opgedaan met de *DH 88 Comet* (waarvan er in 1934 drie voor de MacRobertson-race werden gebouwd) tot een der mooiste en meest elegante verkeersvliegtuigen uit die tijd: de *DH 91 Albatross* (onder). De *DH 91*, waarvan er zeven werden gebouwd, was een viermotorige laagdekker met een dubbele staart. De lijnmotoren (in plaats van de toen gebruikelijke stermotoren) gaven het toestel inderdaad een zeer slank uiterlijk.

Boeing en Douglas op recordjacht

In de Verenigde Staten gaven *Boeing* en *Douglas* de toon aan in de verkeers- luchtvaart. Vooral *Boeing* maakte in de jaren dertig sterk opgang. Dat was voornamelijk te danken aan de ervaring die Boeing had met postvliegtuigen. Op 8 februari 1933 maakte de *B 247* de eerste testvlucht. Het was een geheel metalen tweemotorige eendekker met een intrekbaar landings- gestel en plaats voor tien passagiers. Het type was nog in ontwikkeling, toen *United Air Lines* al 60 exemplaren bestelde. De machine bleek een groot succes: op de kust-tot- kustroute verbeterde men al meteen het record met maar liefst zeven uur en bracht daarmee de reis terug tot twintig uur. De machine had echter nog wel feilen: de steunribben liepen dwars door de cabine, zodat de ruimte niet

ideaal benut kon worden, en de propellers hadden een vaste spoed. De luchtvaart- maatschappij *TWA* wilde ook *B 247's* in dienst nemen, maar *Boeing* kon ze niet op tijd leveren en daarom schreef de maatschappij specificaties uit voor een

concurrerende machine. Voor *Douglas* was dit aanleiding de *DC 1* te ontwerpen. Dit toestel bezat dezelfde ken- merken als de *B 247,* maar leverde betere prestaties; de ribben bevonden zich alle onder de vloer, zodat ze de cabine geheel vrijlieten.

In 1934 bracht de *DC 1* het record van de kust-tot-kust- route op dertien uur. *TWA* bestelde dertig machines van de verbeterde versie: de *DC 2* met plaats voor dertien passagiers. Foto onder: de *DC 2 Uiver* van de *KLM;* op de voorgrond een *B 247.*

'Proppeschieters' voor Amerikaanse luchtmacht

De manier waarop de 'nieuwe generatie' militaire vliegtuigen zich in de VS ontwikkelde, was net als de opkomst van het verkeersvliegtuig heel anders dan in Europa. De jagers waarmee de luchtmacht in Amerika tussen de twee oorlogen opereerde, waren vooral afgeleid van privé-ontwerpen, meestal die van racers. Glenn Curtiss bijvoorbeeld had voor eigen rekening een racevliegtuig ontworpen, waarmee hij zulke goede prestaties behaalde, dat de luchtmacht interesse kreeg.

De eerste eendekker-jager die de luchtmacht in dienst nam, was de *Boeing P 26 Peashooter* (proppeschieter). Het toestel was wel van metaal, maar had nog een open cockpit en een niet intrekbaar landingsgestel (foto hierboven).

De *Martin B 10* was de eerste bommenwerper van de 'nieuwe generatie' en werd in 1934 operationeel in het *US Army Air Corps*. Het was

een tweemotorig toestel met intrekbaar landingsgestel en drie cockpits: in de neus, tussen de vleugelvoorrand en op de rug (onderste foto). Na enige proefnemingen werd de neus-cockpit vervangen door een draaibare geschutskoepel, voorzien van één mitrailleur.

Toen Albert Plesman in de Verenigde Staten een *DC 2* had gezien, stond het voor hem vast waaruit de luchtvloot van de KLM moest worden opgebouwd. Als proef werd er één *DC 2* aangeschaft. Deze, de PH-AJU *Uiver*, kwam precies op tijd in Nederland aan om aan de luchtrace Londen-Melbourne te kunnen deelnemen. Die race ging op 20 oktober 1934 van start; hij bestond uit een snelheids- en een handicapklasse. Daar een groot deel van de route de Indië-lijn van de KLM zou volgen, lag het voor de hand dat de KLM zelf ging meedoen, en nog wel in beide klassen. De *Uiver*-bemanning bestond uit: gezagvoerder Parmentier, tweede piloot Moll, werktuigkundige Prins en telegrafist van Brugge. Onder de totaal 21 deelnemers was de KLM de enige luchtvaartmaatschappij en de *Uiver* het enige toestel dat gewoon passagiers meenam. Vooral de slotfase van de race verliep buitengewoon spannend. De KLM-vogel raakte boven Australië zelfs verdwaald, maar kwam uiteindelijk bij Albury veilig aan de grond. Foto onder: de *Uiver* wordt met man en macht uit de modder getrokken om te kunnen starten voor de laatste etappe. Om de *DC 2* zo licht mogelijk te maken waren alleen Parmentier en Moll nog aan boord; de vijf anderen namen de trein naar Melbourne, waar de *Uiver* een uur na de hachelijke start in Albury behouden en met roem beladen landde: de eerste prijs in de handicaprace, de tweede prijs in de snelheidsklasse!

Het tijdperk van de grote vliegboten

Met de nieuwe passagiersvliegtuigen die in de jaren dertig waren verschenen, konden alleen continentale vluchten worden uitgevoerd. De actieradius van die machines was niet groot genoeg, zodat men voor transatlantische vluchten was aangewezen op vliegboten. Het tijdperk der grote vliegboten was begonnen met de *Do X*, die echter zo door pech werd geplaagd, dat men het project maar schrapte. In Engeland opende *Imperial Airways* (na voorbereidend werk van Cobham) in 1937 diensten naar verschillende delen van het Britse imperium. Bij *Short* werden 42 vliegboten van de C-klasse besteld: geheel metalen, viermotorige machines. Ondanks de grootte van het toestel was er voor slechts 24 passagiers plaats; een groot deel van de beschikbare ruimte werd door post ingenomen. Hieronder: de *Empire* (G-ADHL) op weg naar Australië. In de Verenigde Staten bouwde *Boeing* voor *Pan Am* ook een metalen viermotorige vliegboot: de *B 314*. In juni 1939 vond de eerste oversteek plaats van Port Washington naar Lissabon, met aan boord 40 passagiers (geheel onder).

Over de oceaan met een tweetrapsvliegtuig

In Duitsland en Engeland kwamen nog meer ideeën los voor het realiseren van een transatlantische vlucht. In Engeland ontwikkelde *Short,* die al veel ervaring had met vliegboten, een combinatie van twee vliegtuigen: een vliegboot van de C-klasse, de *Maia,* met op de rug een kleiner watervliegtuig, de *Mercury.* Die combinatie droeg de naam *Mayo,* naar Robert Mayo die technisch adviseur bij Imperial Airways was. De *Maia* kon opstijgen met de overbeladen *Mercury* op haar rug. Wanneer de juiste hoogte was bereikt, vloog de *Mercury* alleen verder, de *Maia* keerde terug naar de basis. De *Mercury* kon zo een grotere lading meenemen, omdat ze door niet zelf op te stijgen, veel brandstof uitspaarde. Ook de *Lufthansa* was in de transatlantische route geïnteresseerd. In 1937 werd begonnen met vluchten door een *Blohm & Voss-Ha-139*-watervliegtuig. Dit had een vierkoppige bemanning en kon een halve ton aan post meevoeren.

Onderweg langs de route lagen twee bevoorradings-schepen: de *Friesenland* en de *Schwabenland.* Wanneer het toestel een van de twee schepen had bereikt, landde het op het water, waarna vanaf het schip de machine werd opgehesen en op een katapult geplaatst. Nadat eventueel onderhouds-werk was uitgevoerd en de tanks waren gevuld, werd het toestel weer gelanceerd.

De eerste praktische helikopters

Twintig jaar na zijn mislukte experimenten met de *Gyroplane* keerde Louis Breguet terug naar de helikopter. In 1929 richtte hij een eigen bedrijf op en ontwikkelde daar een nieuw type. Dit toestel bezat een buizenframe en een met triplex afgedekte vliegtuigstaart. Het onderstel bestond uit drie ver uiteen geplaatste poten. De twee dubbelbladige rotors draaiden op een concentrische as tegen elkaar in. Een nieuwtje was de bladstand-verstelling, die het toestel in staat stelde in elke gewenste richting te vliegen. Dank zij de 'autorotatie' bleven de bladen, ook als de motor uitviel door de luchtsnelheid ronddraaien en kon de machine veilig landen (bovenste foto).

In Duitsland probeerde dr. Heinrich Focke, die de autogiro's van Cierva in licentie bouwde, ook een helikopter te ontwikkelen. In 1934 had hij een model gereed en de vluchten ermee hadden veel succes. Evenals Cierva gebruikte Focke een vliegtuigromp en liet hij de stermotor op zijn oorspronkelijke plaats. De twee naast elkaar geplaatste rotors werden via assen door de motor aangedreven. Duitslands meest bekende pilote uit die tijd, Hanna Reitsch, maakte wereldnieuws door met de *FW 61* in een overdekt stadion in Berlijn een demonstratie te geven (foto onder).

Sikorsky werpt zich weer op de 'wentelwiek'

In de Verenigde Staten viel Igor Sikorsky, na zich dertig jaar lang niet met helikopters te hebben beziggehouden, net als Breguet terug op zijn oude liefde. In 1928 werkte hij enkele zeer opvallende ontwerpen uit. Toen hem de vooruitgang die in Europa geboekt was ter ore kwam, haalde hij zijn toenmalige werkgever *United Aircraft* ertoe over van een van die ontwerpen een prototype te bouwen. Dit was in 1939 klaar en

Sikorsky zelf bestuurde het toestel tijdens de eerste proefvlucht in september van dat jaar. Voor alle zekerheid had hij de helikopter aan kabels vastgemaakt, zodat hij niet al te hoog steeg. De 'vader van de wentelwiek' had zijn machine zo goed ontworpen, dat de belangrijkste kenmerken nog heden ten dage in elke helikopter terug zijn te vinden.

Proefvliegen voor de Tweede Wereldoorlog

In 1936 brak in Spanje de burgeroorlog uit: generaal Francisco Franco stak vanuit Spaans Marokko de Straat van Gibraltar over om de republikeinse regering omver te werpen.

Italië en vooral Duitsland zagen wel wat in Franco's fascistische ideeën, en bovendien gaf de burgeroorlog hun een prachtige kans om hun nieuwe wapens te testen, allereerst het tactische gebruik van bommenwerpers en jagers. Franco ontving al spoedig

enkele exemplaren van de *Junkers Ju 52,* het werkpaard van de Luftwaffe. Deze toestellen onderhielden een luchtbrug, via welke veel Marokkaanse troepen naar Spanje werden gebracht (foto boven). Ook kreeg Franco van Hitler de

beschikking over het 'Condor Legion', dat uit *Heinkel-He-111*-bommenwerpers (foto links) en *HE-51*-tweedekker-jagers (foto rechts) bestond. De vliegtuigen die aan Franco's zijde vochten, voerden een diagonaal kruis op het roervlak.

Russische vliegtuigen voor Spaanse republikeinen

Sovjet-Rusland sloot een verbond met de republikeinen in Spanje, en zo kon ook de Russische luchtmacht haar wapens uitproberen. De republikeinen kregen ongeveer 1500 vliegtuigen, compleet met de nodige reserve-onderdelen en grondpersoneel. In tegenstelling tot Duitsland zonden de Russen weinig piloten; ze lieten het bij een aantal instructeurs die de Spaanse piloten moesten opleiden.
De meeste vliegtuigen waren *Polikarpov-I-15-*tweedekkerjagers (op foto boven met Spaanse vliegers op de voorgrond).
In het begin waren de krachten gelijk verdeeld: de tweedekkers van de republikeinen en de *Heinkel*-bommenwerpers waren min of meer aan elkaar gewaagd.
De balans sloeg echter door toen de Russen een nieuw toestel, de *Polikarpov I. 16* in de strijd wierpen (onder). Dit was zo'n goede jager, dat de *Heinkel*-bommenwerpers en -jagers een makkelijke prooi waren voor de republikeinen.

's Werelds eerste echte straalvliegtuig

Prof. Ernst Heinkel was van de jaren dertig tot aan het eind van de Tweede Wereldoorlog een der grootste luchtvaart-experts in Duitsland. In 1935 begon hij samen te werken met Wernher von Braun, die later in de VS een beroemd raket-deskundige zou worden. Een jaar later voegde Pabst von Ohain zich bij hen. Von Ohain hield zich bezig met het ontwikkelen van een gas-turbinemotor die in conventionele vliegtuigen kon worden ingebouwd. Heinkel betaalde dit project uit eigen zak omdat de Duitse regering geen interesse toonde. In september 1937 kon het prototype van de gasturbine voor het eerst proefdraaien en twee jaar later werd de motor in-gebouwd in een *Heinkel He 178* — een toestel met aluminium romp en houten vleugels en een landings-gestel dat in de romp werd opgeborgen. De gas-turbine gaf de *He 178* een snelheid van 700 kilometer per uur. De Duitse regering had ook na een aantal succes-volle proefvluchten geen belangstelling voor het vliegtuig, zodat Heinkel het project moest staken.

Ook in Italië wil men de propeller vervangen

In Italië werden in samenwerking met de grootste
vliegtuigfabrikant, *Caproni*,
twee projecten aangepakt,
die ook al betrekking
hadden op een minder
conventionele aandrijving,
maar hier waren de
resultaten minder goed.
In 1932 ontwikkelde *Stipa*
onder leiding van *Caproni*
een heel merkwaardig
vliegtuig. De romp ervan
bestond uit een ronde
holle ton met aan de
binnenkant een venturibuis.
Vóór in de ton bevond zich
een motor, die een gewone
propeller aandreef. Deze
pompte lucht naar
binnen, die bij het
passeren van de venturi-
buis een hogere snelheid
moest krijgen. Daardoor
zou de machine sneller en
hoger kunnen vliegen,
dacht Stipa. De kracht
van de achter uit de romp
geblazen lucht was echter
nauwelijks voldoende om het
vliegtuig in de lucht te
houden (foto boven).
In 1939 slaagde ir. Secundo
Campini erin *Caproni*
over te halen een proto-
type te bouwen van een
moderner lijkende straal-
aandrijving. Campini
maakte gebruik van een
gewone zuigermotor die
halverwege de holle romp
een verstelbare fan aandreef.
Op zijn beurt blies de fan
lucht in een straalpijp,
waarvan de uitlaatopening
ook verstelbaar was. In die
pijp kon benzine worden
verbrand om de uitstroom-
snelheid te verhogen.
De *N 1* was groot en log en
had moeite van de grond
te komen toen piloot Mario
de Bernardi in augustus '40
de eerste proefvlucht
maakte (foto onder).

Mussolini overvalt keizerrijk Abessinië

Mussolini droomde van een wederopstanding van het oude Romeinse imperium. In de Europese politiek had hij tegen het einde van de jaren twintig en daarna een steeds hogere toon aangeslagen, onder andere over de Balkan en het overige deel van Zuidoost-Europa. Het land echter waarop hij rond 1935 zijn begerige blik richtte, was Abessinië, het latere Ethiopië. De achtergrond van Mussolini's plannen: hij zocht militair prestige en een gebiedsuitbreiding ter oplossing van het probleem van de Italiaanse overbevolking, terwijl ook de smadelijke nederlaag van het Italiaanse leger in 1896 in Ethiopië

moest worden gewroken. Na provocaties en diplomatieke uitvluchten vielen Italiaanse troepen op 3 oktober 1935 vanuit Eritrea, een Italiaanse kolonie, het land binnen. Driemotorige bommen-werpers van het type *Caproni Ca 133* voerden vele bombardementsvluchten uit en zorgden voor de aanvoer van troepen en materieel. Tegenover de goed bewapende en gedisciplineerde troepen van Mussolini kon het Ethiopische leger weinig uitrichten. De Italiaanse overheersing duurde tot 1941, toen de Britten het oude keizerrijk bevrijdden.

De Finnen verdedigen zich met Fokkers

Op 23 augustus 1939 sloten Hitlers Duitsland en Stalins Rusland een non-agressiepact. Het geheime gedeelte van het verdrag (de tekst ervan zou pas na de Tweede Wereldoorlog volledig bekend worden) bepaalde de 'belangensferen' van beide staten: Rusland kreeg 'rechten' op Finland, Estland en Letland, Duitsland op Litouwen en Polen werd in tweeën gedeeld. Stalin annexeerde Estland en Letland zonder veel scrupules, maar in Finland verliepen de zaken anders. De Russen eisten een groot gebied van de Finnen op en toen die daar niet op in gingen, vielen Russische troepen op 30 november 1939 het land binnen.

Stalin had de Finnen echter schromelijk onderschat; hij moest tot zijn spijt constateren dat een klein volk zich verbeten kon verdedigen. De Finse luchtmacht beschikte over uitstekende jagers; van Rusland zelf kocht ze de *Polikarpov-1-15*-tweedekker (foto midden links) en Nederland leverde de eerste moderne *Fokker*-jager, de *D 21,* uitgerust met 'sneeuwschoenen' (foto boven). Met dat vliegtuig behaalden de Finnen veel overwinningen; op foto onder een door een *D 21* neergeschoten *Toepolev*-bommenwerper.

Hitler stoort zich niet aan ultimatums

Op 1 september 1939 vielen de Duitse legers Polen binnen. Na enkele vruchteloze pogingen tot onderhandelen stelden Engeland en Frankrijk een ultimatum: Hitler werd bevolen Polen te ontruimen. Hij stoorde zich er niet aan en de overval op Polen mondde uit in de Tweede Wereldoorlog. Voor het eerst zette de Luftwaffe op grote schaal de huilende *Stuka's* in, die al gauw het moreel van de Poolse troepen braken.
In totaal gebruikte de Luftwaffe 900 bommenwerpers en 400 jagers. De Poolse luchtmacht beschikte over slechts zo'n 150 jagers (en niet 900, zoals de Duitsers hadden geschat), voor het merendeel verouderde *PZL-P-11*-toestellen en een aantal bommenwerpers van het type *PZL P 37* (foto links).
Door de oppermacht van de Duitsers in de lucht en de vernietigende bomaanvallen op Warschau (de eerste echte raids op een stad — foto onder) was het Poolse verzet na enkele weken totaal gebroken.

Blitzkrieg in Noorwegen

Noorwegen had voor Hitler grote waarde, omdat Duitsland voor de aanvoer van ijzererts grotendeels van dat land afhankelijk was. Verder wenste Duitsland niet dat zijn vloot, net als in de Eerste Wereldoorlog, zou worden opgesloten in de Oostzee. Daarom wilde admiraal Räder de havens in de Noorse fjorden onder Duitse controle brengen, evenals de Deense havens. Op 8 april 1940 liepen de Duitsers heel Denemarken onder de voet. De dag erna overvielen ze Noorwegen. De Luftwaffe zette ditmaal bijna 1200 vliegtuigen in. Voor een groot deel waren dat *Junkers-Ju-52*-transportvliegtuigen, die overal op strategische punten troepen aan de grond zetten (foto boven). De Noorse defensie was zwak; reeds op de avond van 9 april konden de Duitsers zich al langs de hele kust tot aan Narvik toe installeren. Ook de Noorse luchtmacht stelde niet veel voor. Tegen de *Messerschmitt Me 109's* en *Me 110's* hadden de enkele verouderde *Curtiss P 36's* (foto rechts) weinig verweer.

Wapenfeit van 'Kleuter' bij vliegveld De Kooy

Op 10 mei 1940, om 4 uur 's ochtends kwamen golven Duitse vliegtuigen van over zee op de kust af en bestookten alle vliegvelden in West-Nederland. De meeste velden én de toestellen die er geparkeerd stonden, werden meteen vernietigd. Op vliegveld Bergen werden 12 *Fokker G 1's*, die op een klein platform op een kluitje bij elkaar stonden, in één klap uitgeschakeld (foto boven). Op vliegveld De Kooy kreeg de patrouille 'Kleuter', bestaande uit Focquin de Grave, Van Overvest en Bosch, toestemming op te stijgen. Toen het drietal even later weer wilde landen, werd het door het driftig zwaaiend grond-personeel gewaarschuwd voor negen *Me 109's* die het kamp aanvielen. Bosch, die de toestellen niet had opgemerkt, landde toch en zijn *Fokker D 21* werd prompt in brand geschoten (foto midden). Henk van Overvest zette als laatste de landing in, toen hij opeens zag dat vier *Me 109's* hem op de staart zaten. Hij gaf vol gas en trok steil draaiend weg. Dank zij de grote wend-baarheid van de *D 21* kon Van Overvest na enkele cirkels een Duitser onder vuur nemen. Hij gaf hem de volle laag en keek toe hoe de brandende *Me 109* op het vliegveld een nood-landing maakte (foto onder).

Rotterdam wordt platgebrand

Tot en met 14 mei 1940 leden de Duitsers tegen hun verwachtingen in zeer zware verliezen. Alleen al boven Nederland verloren ze 231 toestellen, in weerwil van het feit dat hun gevechtsvliegtuigen tot de beste ter wereld behoorden. Toen de Duitsers Nederland binnenvielen, beschikte de *LVA* (luchtvaartafdeling) over slechts 124 gevechtsklare vliegtuigen, waarvan een groot deel sterk verouderd was. In de ochtenduren van 14 mei voerde *LVA* nog achttien vluchten uit, maar om half twee 's middags liet de Luftwaffe de hel losbarsten met het bombardement op Rotterdam, waarbij de hele binnenstad werd platgebrand. Toen de Duitsers dreigden dat andere steden hetzelfde lot zouden ondergaan, capituleerde Nederland.

Duinkerken: het graf van de Franse luchtmacht

Tegelijk met Nederland werden ook België en Luxemburg aangevallen. De verdedigingslinie bij het Albertkanaal viel al na een dag en de geallieerden moesten zich steeds verder terugtrekken, tot ze klem raakten aan de kust bij Duinkerken. Om te voorkomen dat het restant van de troepen volledig zou worden vernietigd, dirigeerde de Britse admiraliteit alles wat maar enigszins kon varen naar het strand om het expeditieleger naar Engeland terug te halen. De operatie geschiedde onder zeer felle Duitse luchtaanvallen. De Franse luchtmacht, uitgerust met *Morane Saulnier MS 406's* en enkele *Curtiss P 36's*, werd al gauw door de Luftwaffe uitgeschakeld (foto links). De Britten hadden een paar squadrons *Boulton Paul Defiants*, jagers met geschutskoepel, in Frankrijk gestationeerd (onder), maar die waren geen partij voor de Duitse *Messerschmitts*.

De Slag om Engeland brandt los

Voor Hitler was de west-
kust van Europa niet
genoeg, hij wilde ook de
Britse eilanden.
Begin juli 1940 gaf hij
het sein voor de aanval
op Engeland. De eerste
acties waren bedoeld om
de jagers van het *Fighter
Command* in de lucht te
lokken, waar ze, net als
die van de andere
geallieerde landen
vernietigd dienden te
worden. Tijdens de 'Battle
of Britain' beschikte de
Luftwaffe over zo'n 3000
vliegtuigen, terwijl het
Fighter Command daar
maar enkele honderden
jagers tegenover kon zetten.
Het merendeel daarvan
waren *Hurricanes*, die
snel werden aangevuld met
Spitfires (foto hierboven).
Weldra kreeg Hitler zijn
eerste tegenslag te
verwerken: de Britse luchtmacht liet zich niet over-
rompelen. De in andere
landen zo gevreesde *Stuka*
bleek een makkelijke prooi
voor de Britse jagers.
De *He-111*-bommenwerpers
die het in Spanje zonder
escorte afkonden, werden
bij het bombarderen van
Londen (foto rechtsboven)
veelvuldig uit de lucht
geschoten (foto rechts:
een *Spitfire* tussen
He 111's). De *Me 110*,
die later als escorte
voor de bommenwerpers
optrad, had zelf al gauw
begeleiding nodig; ook

dat toestel was niet
tegen de *Hurricanes* en
Spits opgewassen.
Het enige toestel dat
wel tegen de Britse jagers
kon standhouden, was de
Me 109. Het vliegbereik
van deze machines was
echter zo klein, dat ze
op de terugweg vaak in
zee stortten.

Een enkele reis voor de 'Hurricat'

Na de 'Battle of Britain' was de slag om de Atlantische Oceaan van de grootste betekenis in de Tweede Wereldoorlog. Toen Hitler er niet in kon slagen de Britten op de knieën te krijgen, probeerde hij hen te isoleren. Dit zou op zee moeten gebeuren, omdat Engeland voor de oorlogsproduktie voor het grootste deel afhankelijk was van de aanvoer per schip. Het U-boot-wapen moest verhinderen dat de schepen Engeland bereikten. *Focke-Wulf* ontwikkelde voor het opsporen van konvooien en het dirigeren van de U-boten een lange-afstandsvliegtuig: de *FW 200 Condor* (boven), die ook zelf aanvallen op 'n konvooi kon uitvoeren. Voor Engeland zelf voldoende lange-afstands-machines had en voordat de Verenigde Staten in de oorlog waren betrokken, maakten de Britten gebruik van aangepaste jagers die op een vrachtboot konden worden meegenomen. Foto onder: een *Hurricat* wordt op de katapult gehesen. De jagers werden gelanceerd wanneer er een U-boot of een *Focke-Wulf Condor* werd gesignaleerd. Na uitvoering van hun opdracht moesten de piloten op zee landen en hun *Hurricat* verlaten. Bij het vaak slechte weer op de Atlantische Oceaan was dat voor de piloten een riskante bezigheid: als ze pech hadden waren ze al door de kou omgekomen voor ze konden worden opgevist.

86

Duitsland opent aanval op Rusland

De Britten hadden stand-gehouden tegen de Duitse aanvallen en Hitler richtte zich nu op het oosten. Maar op de uitgestrekte Russische vlakten ging de Wehrmacht, net als destijds het leger van Napoleon, de ondergang tegemoet. In de vroege ochtend van 22 juni 1941 zetten de Duitsers met grote kracht en over een breed front de aanval in. In totaal werden op het oostfront 3 miljoen man ingezet, met steun van 4000 vliegtuigen en 3000 tanks. In getalsterkte deed het Russische leger er niet voor onder, maar het was veel slechter uitgerust en opgeleid. Hitler claimde op de eerste dag van 'Operatie Barbarossa' de vernietiging van 1700 Russische vlieg-tuigen. Rechts een Duitse propagandafoto met enkele uitgebrande wrakken die vernielde jagers moesten voorstellen; in werkelijk-

heid waren het verouderde *ANT-4*-bommenwerpers. De *Ilioesjin Il 2 Stormovik* (foto onder) was een van de zeer goede Russische vliegtuigen die tegen de Duitsers werden ingezet. Als *jabo* (jacht-bommenwerper) werd het toestel veel gebruikt tegen de Duitse grondtroepen. De *Il 2* is het meest gebouwde vliegtuig van de Tweede Wereldoorlog.

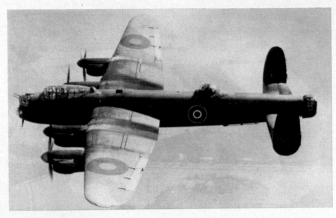

Na de pamfletten regent het bommen

Al voor het uitbreken van de Tweede Wereldoorlog werd het *RAF Bomber Command* opgericht onder het motto: 'de beste verdediging is de aanval'. Tijdens de Duitse opmars over het Europese vasteland vervulde het *Bomber Command* de eerste opdracht: het strooien van anti-nazi-pamfletten boven de Duitse steden. De pamfletten maakten al gauw plaats voor bommen. Aanvankelijk waren militaire objecten het voornaamste doelwit, maar geleidelijk werden dit de steden. Toen de Verenigde Staten bij de oorlog betrokken raakten, werden de aanvallen op de Duitse wooncentra 'netjes' verdeeld: de Britten bombardeerden 's nachts, de Amerikanen overdag. Beide landen ontwikkelden ongeveer hetzelfde type bommenwerper: een vier-motorig toestel met een grote actieradius. Het enige verschil was dat de Amerikanen, omdat ze over-dag vlogen, een zwaardere defensieve bewapening voerden. De belangrijkste bommenwerper van het *Bomber Command* was de *Avro Lancaster* — zó goed van ontwerp dat hij, afgezien van de motoren, gedurende zijn hele bestaan niet werd gewijzigd (foto boven). De bekendste Amerikaanse bommenwerper was de *Boeing B 17* 'Vliegend Fort', een term die op de enorme wapenuitrusting slaat, bij sommige types liefst 13 mitrailleurs (foto onder).

'Liberators' in actie boven oliestad Ploesti

De Amerikanen beschikten buiten de *B 17* over nog een zware viermotorige bommenwerper: de *Consolidated B 24 Liberator*, die misschien niet de beste, maar zeker de meest gebouwde bommenwerper in zijn tijd was (totale produktie: 19.000 stuks). De *B 24* deed ook dienst als lange-afstandsverkenner voor de marine; dank zij het enorme vliegbereik konden de toestellen de hele Atlantische Oceaan bewaken. De *B 24* en *B 17* namen deel aan de bombardementen op Duitsland, maar het meest bekend is het vliegtuig door de raid op Ploesti. Deze Roemeense districtshoofdstad was het centrum van de Duitse olievoorziening.

De aanval begon op 1 augustus 1943. De leidende groepen maakten echter een fout en de luchtverdediging van Ploesti was prompt in alarm en paraat. Van de 177 uitgezonden *Liberators* gingen er 54 verloren, terwijl door de Amerikanen slechts 40 procent van de olie-industrie werd uit-geschakeld. Na enkele maanden draaide 'Ploesti' weer op volle capaciteit.

Een bom die over het water stuitert

Eind 1942 gaf het Britse opperbevel Barnes Wallis opdracht een bom te ontwikkelen, waarmee de stuwdammen in het Ruhrgebied zouden kunnen worden platgegooid. Wallis ging aan de slag en kwam op de proppen met een bom in de vorm van een ronde ton — het ding leek wel een enorme oliedrum.

Als bommenwerpers werden speciaal omgebouwde *Lancasters* gebruikt; het ruim werd aangepast en de bommenluiken werden verwijderd. De 'Dambuster' hing dwars, half in en half buiten het bommengat. Vlak voor het droppen zou het projectiel door een motor in het bommenruim aan het draaien worden gebracht. Vervolgens zou de bom worden losgelaten en al tollend over het

stuwmeer én over de torpedonetten die de dam moesten beschermen, heen stuiteren. Tenslotte moest de bom tegen de damwand botsen, zinken en middels een hydrostatische ontsteking op de juiste diepte ontploffen. Het 617de squadron *Lancasters*, aangevoerd door Wing-Commander Guy Gibson (foto links), werd aangewezen om de speciale taak uit te voeren.

In de nacht van 16 op 17 mei 1943 slaagde het squadron erin de Ederdam en de Möhnedam (foto hierboven) in de lucht te laten vliegen.

90

Hitte, zand en stof plagen de Britten

De strijd tussen de Britten en de Italianen in Noord-Afrika was in september 1940 in een impasse geraakt. De Britten hadden hun opmars moeten staken wegens een tekort aan voorraden, maar daar stond tegenover dat hun luchtmacht een duidelijk overwicht had gekregen. Helaas was ze gedwongen een aantal squadrons naar Griekenland te sturen en juist op dat moment kwam Rommels *Afrika-Korps* in Tripoli aan, uitgerust met o.a. *Me 109's*, die in de 'Battle of Britain' hun waarde hadden bewezen. Rond maart 1941 ging Rommel tot de aanval over en de Britten moesten zich tot aan de Egyptische grens terugtrekken. Tijdens de volgende periode van rust kregen ze Amerikaanse versterkingen in de vorm van *Curtiss P 40 Kittyhawks* en *Martin*-bommenwerpers. Bij de volgende Britse acties wist de *Western Desert Air Force* enigermate het overwicht in de lucht terug te winnen, hoewel de *Kittyhawks* (foto boven) geen partij waren voor de superieure *Me 109's* (foto onder; het extra-luchtfilter om het zand buiten te houden, is goed aan de zijkant van de neus te zien).

91

Een vliegende Siamese tweeling

De Duitsers kwamen al tijdens de 'Operatie Barbarossa', de inval in Rusland, op het idee transportzweefvliegtuigen te gebruiken. Die werden voornamelijk ingeschakeld voor het verplaatsen van troepen over grote afstand. Zo kon men b.v. eenheden achter het front brengen, die de vijand in de rug konden aanvallen. Bij een der eerste pogingen trokken drie *Me-110*-jachtbommenwerpers samen een transportzweeftoestel van het type *Me 321*. De soldaten noemden die combinatie spottend 'Troika-Schlepp'. De hele onderneming liep echter op een fiasco uit: meermalen botsten de slepende vliegtuigen in de lucht tegen elkaar, of slaagden er niet eens in van de grond te komen.
De Duitsers bedachten een andere oplossing: ze bouwden twee *He-111*-bommenwerpers aan elkaar en construeerden een extra-motor in het midden. Dat merkwaardige dubbeltoestel trok de *Me 321* wèl met succes (foto).

Zelfs tanks gaan door de lucht

De geallieerden pasten het transportzweefvliegtuig op grote schaal toe. Tijdens de invasie in Frankrijk werden zo duizenden soldaten en tonnen aan materiaal vervoerd. Vooral de Britten sprak het idee van het zweefvlieg-transport sterk aan.
De twee meest bekende types waarover de Britten beschikten, waren de *Airspeed Horsa* en de *GA Hamilcar*. De *Horsa* was het meest geschikt voor het vervoer van troepen of licht materiaal, zoals afweergeschut en jeeps (rechtsboven). De *Hamilcar* was veel groter en kon een lichte 7-tons tank of twee pantserwagens meenemen (foto onder). Ondanks het feit dat beide machines slechts uit hout, triplex en linnen waren opgetrokken, bewezen ze bij de landings-operaties grote diensten. Als sleepvliegtuigen werden in Engeland veelal de verouderde *Short-Stirling*-bommenwerpers gebruikt. De Amerikanen lieten de *Waco*, hun tegenhanger van de *Horsa*, door de *Douglas C 47 'Dakota'* slepen.

In het voetspoor van de Rode Baron

Het begin van Douglas Baders vliegerscarrière was bepaald niet gelukkig te noemen. In 1931 stortte hij neer in een *Bristol-Bulldog*-tweedekker en brak beide onderbenen, maar hij vocht zich met koppige volhardendheid een weg terug in de *RAF*. In de jaren dat hij nog aan de grond gekluisterd was, ontwikkelde hij nieuwe indelingen voor het formatievliegen van groepen *Spitfires*. Uiteindelijk kreeg Bader toch weer toestemming om te vliegen. Hij werd een van de beste piloten in de 'Battle of Britain', aan de stuurknuppel van een *Spitfire* die zijn initialen als registratieletters droeg (foto boven).

Hans-Joachim Marseille maakte deel uit van *J.G. 27*, de Afrika-afdeling van de Duitse Luftwaffe. Hij schepte er genoegen in zoveel mogelijk machines op één dag neer te halen (met een record van 12). Op 30 september 1942 kreeg Marseille in een nieuwe *Me 109G* bij El Alamein motorstoring en hij werd gedood toen hij uit het vliegtuig wilde springen. Marseille behaalde 158 over-winningen, alle op Britse vliegtuigen (foto onder).

Russische en Japanse luchtvechtjassen

In Rusland ondervond de Luftwaffe felle tegenstand van bedreven piloten die 'Stalins Valken' werden genoemd. Net als bij de grondtroepen in Rusland werden bij de luchtmacht de beste mensen geconcentreerd in speciale afdelingen, waar ze veelal onder hoge morele druk hun werk moesten verrichten.
De Russische topaas was Ivan Kojedoeb (hieronder geheel links), die 62 lucht- gevechten won. Driemaal kreeg hij de hoogste Russische onderscheiding, de Gouden Ster.
Een van de Japanse azen, Hiroyoshi Nishizawa (foto rechts), schoot 101 vliegtuigen neer voordat hij in 1944 zelf het slachtoffer werd. Nishizawa vloog zonder parachute, omdat die anders te veel in de weg zou zitten. Zonder valscherm voelde hij zijn *Mitsubishi A6M Zero* veel beter aan, vond hij.

De eerste operationele straalvliegtuigen

Ernst Heinkels leidende rol bij het ontwikkelen van het straalvliegtuig werd door Messerschmitt en Arado overgenomen. Messerschmitt produceerde het eerste operationele straalvliegtuig van de Luftwaffe: de *Me 262,* een formidabele jager met een haaiachtig uiterlijk en twee laaghangende *Jumo-004*-straalmotoren. Met een topsnelheid van 850 kilometer per uur was hij ruim 150 km sneller dan enige andere jager. Uitgerust met vier 30 mm-kanonnen zou de jager het luchtruim boven Duitsland hebben beheerst als Hitler geen opdracht had gegeven het toestel tot bommenwerper om te bouwen. De externe wapens waarmee het

toen werd uitgerust, deed het voordeel van de hoge snelheid geheel teniet (onderste foto). Arado, een niet zo bekende fabriek, bouwde de eerste straalbommenwerper voor de Luftwaffe. De machine was een hoogdekker met soms één, soms twee straal-

motoren in gondels onder de vleugels. De eerste prototypes stegen op met behulp van een driewielig karretje om gewicht- en ruimteproblemen te vermijden. De latere versies hadden wél een onderstel. Voor de *Ar 234* had men heel wat vreemde taken in

gedachten, zoals het slepen van een *V-1.* Een ander idee was de *Ar 234* een *V-1* op de rug te laten dragen en volgens een derde plan zou de machine een miniatuurjager, waarin de piloot op zijn buik lag, onder de romp moeten meevoeren (foto boven).

De Britse 'Meteor' en de Russische 'MiG'

De Duitsers mochten dan de eersten zijn die een straal-jager ontwikkelden, de Britten volgen hen op de hielen. In het begin van de jaren dertig was Frank Whittle al bezig aan een eigen ontwerp van een straalmotor. Toen ministeriële autoriteiten van Luchtvaart in 1937 aanwezig waren bij een test van Whittles motor, besloten ze schoorvoetend het project te steunen.
Na enkele prototypes getest te hebben, begon de Gloster-fabriek, die voordien alleen maar twee-dekker-jagers gemaakt had, aan de constructie van het prototype van de Gloster Meteor (foto boven). Dit model kreeg zijn lucht-doop op 5 maart 1943 en

het leverde zulke goede prestaties, dat er twintig exemplaren werden gebouwd. Het eerste operationele succes van de Meteor kwam op 4 augustus 1944, toen toestellen van het 616de squadron boven het zuiden van Engeland twee V-1-bommen neerhaalden.

Later wilde men de Meteor inzetten tegen zijn Duitse tegenhanger, de Me 262, maar de machines hebben elkaar in de lucht nooit ontmoet.
In Rusland verliep de ontwikkeling van straal-vliegtuigen aanzienlijk langzamer dan in

Duitsland en Engeland. De Russische luchtmacht kreeg haar eerste straal-jager nadat de oorlog was afgelopen. Pas op 24 april 1946 maakte de Mikojan-Goerevitsj MiG 9 (de Amerikanen gaven hem de naam Fargo) zijn eerste vlucht (onderste foto).

De motor werkt maar acht minuten

Behalve met straalaandrijvingen werkte de *Messerschmitt*-fabriek ook met raketten.
In 1941 was de *Me 163* voor testvluchten gereed (foto boven). Het was een klein, gedrongen toestel met deltavleugels. Als motor werd een vloeibare-brandstof-raket gebruikt. In mei vloog de *Me 163* voor het eerst op volle kracht en testpiloot Heini Dittmar doorbrak de in die tijd voor onmogelijk gehouden duizend-kilometergrens. Dittmar was de eerste die de gevaren van de geluids-barrière ondervond: zware schokgolven die het toestel bijna uit elkaar lieten springen. De operationele *Me 163* kreeg een motor die acht minuten werkte. De piloot moest zijn doel opzoeken, vuren en in glijvlucht landen. Tijdens de landing was het vliegtuig een makkelijke prooi voor de geallieerde jagers. Een andere raketjager was de Bachem *Ba 349 Natter*. Deze machine werd met vier start-raketten langs een verticale toren de lucht ingeschoten (foto onder). Vervolgens stuurde een automaat de *Natter* in de richting van een bommen-werperformatie. Dan nam de piloot het over en beschoot hij de bommen-werpers met 24 raketten. Na de aanval haalde de piloot een hendel over waardoor het toestel in twee stukken brak; het achterste stuk met de raketmotor en de piloot daalde aan parachutes naar beneden.

Hitlers laatste poging: de V-wapens

Toen de oorlogs-ontwikkelingen er voor Duitsland somber gingen uitzien, gaf Hitler opdracht Engeland met een nieuw wapen te bestoken: de *V-1*. Deze onbemande, kleine eendekker werd gebouwd door de *Fieseler*-fabrieken. Het toestel had korte, rechte vleugels en een 8 meter lange romp. Voor in de neus zat de lading, 800 kilogram springstof. In de omgeving van Calais werden de *V-1*'s vanaf een starthelling gelanceerd en op Londen afgestuurd. Tussen 13 juni en 4 september 1944 werden er ruim 8500 *V-1*'s afge-schoten (foto boven: een niet ontploft exemplaar ergens in Londen). Om niet midden in de rondvliegende brok-stukken van een *V-1* terecht te komen, onderschepten de geallieerde piloten het ding met hun vleugeltip en wipten hem op zijn kant, zodat hij uit de koers raakte en neer-stortte (foto linksonder). Een beter lange-afstands-wapen was de *V-2*, die de Duitsers vanaf de herfst van 1944 tegen Londen gebruikten (rechtsonder). De *V-2* kon niet worden onderschept vanwege zijn hoge snelheid.

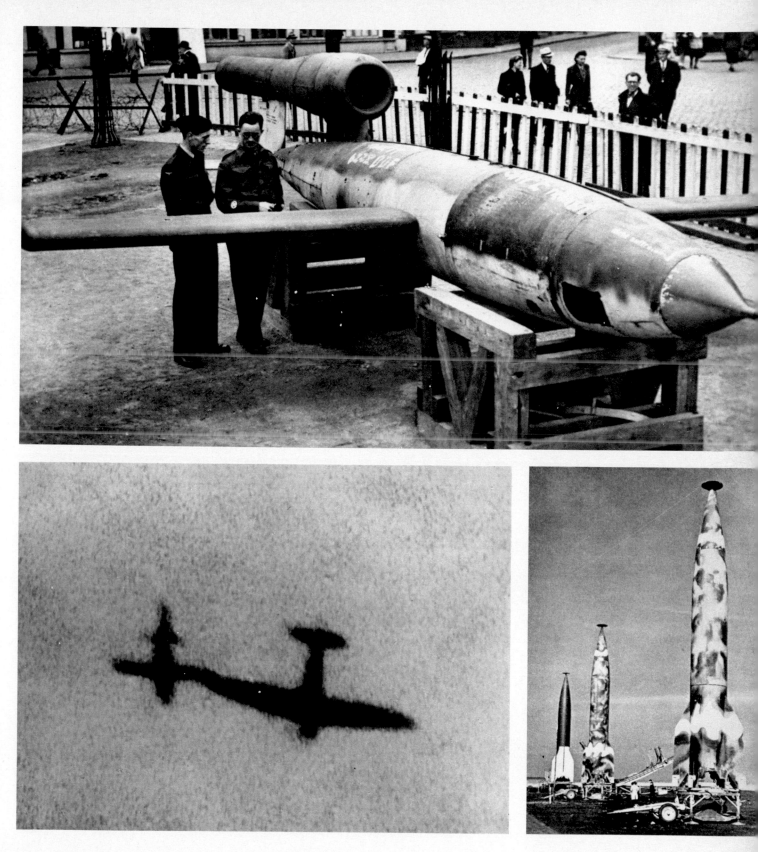

Amerika's ruggegraat in twee uur gebroken

Op 7 december 1941 werd de sinistere voorspelling, die William Mitchell zes jaar eerder had gedaan, bewaarheid: Japan overrompelde de Verenigde Staten vanuit de lucht. De Amerikaanse vloot, die in Pearl Harbor voor anker lag, werd in amper twee uur tijd in één grote puinhoop veranderd (foto links). Tot hun pijnlijke verrassing moesten de westerse mogendheden constateren dat de Japanners gevechts-vliegtuigen produceerden die in vele opzichten superieur waren aan die waar ze zelf over beschikten. Japan bezat ook een krachtige vloot, die was opgebouwd rond snelle vliegdekschepen. Die vloot bracht de *Mitsubishi A6M Zero's* voor hun aanval vlak bij Pearl Harbor (foto onder). Het was de eerste maal dat zo'n grote operatie vanaf vliegdekschepen werd uitgevoerd. Gelukkig voor de geallieerden waren de vliegdekschepen van de Amerikaanse marine tijdens de aanval in een ander gedeelte van de Stille Zuidzee op oefening, en bleven ze gespaard. Gelijktijdig met de aanval op Pearl Harbor viel het Japanse leger Malakka aan en bestookte de luchtmacht Amerikaanse vliegvelden op de Filippijnen. De Japanners liepen elke tegenstand onder de voet. Nauwelijks een halfjaar na de aanval op Pearl Harbor hadden ze bijna alle eilanden in de Stille Zuidzee en een groot stuk van Azië in handen.

Premies voor de 'Flying Tigers'

Toen Japan de Verenigde Staten aanviel, hadden de Amerikanen — in tegenstelling tot de Japanners, die al vier jaar in China vochten — geen enkele oorlogservaring. Een uitzondering waren de Amerikanen die voor de Britten streden én de mannen van Claire Chennault (portret hieronder), die een soort vreemdelingenlegioen vormden. Dezen stonden onder contract bij Tsjang Kai-Sjek, die hun een premie uitkeerde voor elke

neergeschoten Japanner. Chennaults mannen, 'Flying Tigers' geheten, vlogen in met een haaiebek beschilderde *Curtiss P 40 Hawks* (foto boven), die minder snel en wendbaar waren dan de *Zero's*, maar enorm veel treffers konden incasseren. Tot de vliegtuigen waarin de Chinezen voor de Japanners vluchtten, hoorde dit merkwaardige asymmetrische toestel (foto onder). Het was oorspronkelijk een *Douglas DC 3*, maar de Japanners schoten de rechtervleugel aan flarden. De Chinezen, niet voor een kleintje vervaard, bouwden er de vleugel van een DC 2 aan vast en sindsdien staat het geval bekend als *DC 2 ½*.

Zandzakken en dekens tegen Japanse kogels

Op 8 december 1941 verklaarde Nederland de oorlog aan Japan. In Nederlands-Indië had men zo iets wel verwacht, want reeds lange tijd probeerde Japan door intimidatie in Indië voet aan de grond te krijgen. De militaire luchtvaartafdeling van het KNIL (ML-KNIL) was evenals de LVA niet voorbereid op een treffen met zo'n machtige vijand. Op het tijdstip van de mobilisatie (30 november) beschikte de ML-KNIL over iets meer dan 200 vliegtuigen. Daarbij waren 108 jagers, merendeels van het type *Brewster Buffalo* (foto boven). Als bommenwerper gebruikte de ML-KNIL de *Glenn Martin 139* en *166* (foto onder: twee *166's*). Al deze vliegtuigen waren in 1941 sterk verouderd en bleken geen partij voor de Japanse vliegtuigen. Vooral de bepantsering van de machines liet zoveel te wensen over, dat de bemanning vaak wollen dekens en zandzakken meenam om toch een beetje bescherming te hebben.

Doolittle: starten vanaf vliegdekschip

In de VS werd Jimmy Doolittle in 1922 beroemd, toen hij in één dag het Noordamerikaanse continent van Oost naar West overstak. In 1925 verbeterde hij het wereld-snelheidsrecord met meer dan 80 kilometer (kleine foto). Vier jaar later was hij de eerste man die, met een piloot voor de veiligheid in de voorste cockpit, in zeer dichte mist 'blind'-vloog. De 'Doolittle Raid' op Tokio vond plaats in april 1942. Zestien speciaal aan-gepaste B-25-Mitchell-bommenwerpers (de naam was een postume hulde aan William Mitchell) werden aan boord van het vlieg-dekschip Hornet getakeld (foto hiernaast links). De Hornet zou tot op 600 kilometer van de Japanse kust stomen. Van daaraf was het vliegbereik van de B 25's voldoende om Tokio te bombarderen en naar vliegvelden in China uit te wijken. De Hornet was nog 1300 kilometer uit de kust, toen er contact werd gemaakt met een Japans schip. Het vertrek van de Mitchells kon niet zonder groot gevaar meer worden uitgesteld. Het was een spannend ogenblik: nog nooit was een volgeladen B 25 vanaf een vliegdek-schip gestart! Doolittle vertrok als eerste en hij had nog 30 meter dek over toen hij loskwam. Ook alle andere toestellen raakten goed weg. De aanval was

een complete verrassing, maar door benzinegebrek moesten de meeste bemanningsleden van hun parachutes gebruik maken. De Japanners namen acht Amerikanen gevangen (foto links) en een drie-tal werd geëxecuteerd.

'Fluitende Dood' helpt bij strijd in de Pacific

Het gevecht in de Pacific had een heel ander aazien dan de strijd in het Westen. Omdat de afstanden tussen de eilanden voor vliegtuigen te groot waren, kreeg het vliegdekschip een zeer belangrijke rol te vervullen. De beste Amerikaanse deklandingsjager was de *Chance-Vought F 4 Corsair* (foto boven).
Door de karakteristiek geknakte vleugel kon het onderstel kort worden gehouden, ondanks de propeller-draaiwijdte van 4 meter. Het fluitende motorgeluid en de superieure vliegeigenschappen bezorgden de machine de bijnaam *Fluitende Dood*.
Een middelzware bommenwerper die de Amerikanen in de Pacific gebruikten, was de *Douglas A 20 Havoc* (op onderste foto boven een gestrande Japanse *Mitsubishi G4M*).

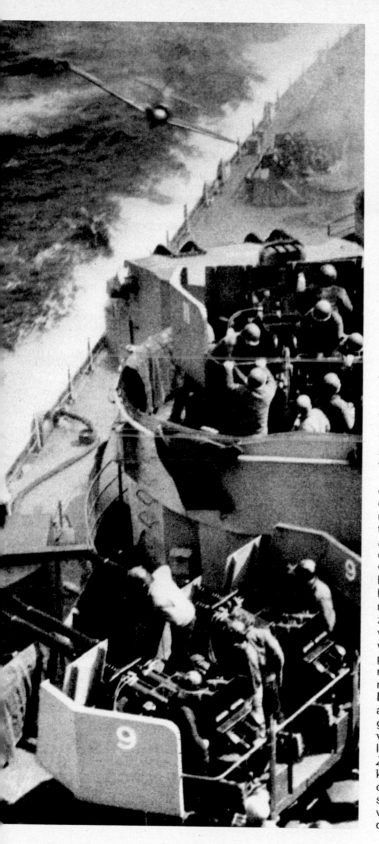

Weer moet een 'goddelijke wind' Japan redden...

In de dertiende eeuw was Japan tot tweemaal toe voor de ondergang behoed door een zware storm, die de vloot van de vijandelijke Mongolen vernietigde. De Japanners noemden die storm *Kamikaze*, 'goddelijke wind'. Tegen het eind van 1944 stond er wéér een oppermachtige vijand op de drempel van het keizerrijk. De Japanse luchtmacht, té sterk uitgedund om de Amerikanen nog met conventionele tactieken te weerstaan, greep naar een laatste wapen. Piloten van het 'speciale aanvalskorps' moesten zich met hun van zware explosieve ladingen voorziene toestellen tegen vijandelijke schepen te pletter vliegen. Hun bijnaam, *Kamikaze*, kon niet beter zijn gekozen. De meeste *Kamikaze*-aanvallen werden uitgevoerd met bestaande vliegtuigtypes. Foto links: de aanval van een *Zero* op een Amerikaanse kruiser. Later ontwikkelden de Japanners speciale *Kamikaze*-vliegtuigen, zoals de door raketmotoren aangedreven *OKA 11* (op foto boven omringd door Amerikaanse soldaten; op de neus is een kersebloesem geschilderd: het embleem van de zelfmoordpiloten). De *OKA* werd onder een moedervliegtuig, meestal een omgebouwde bommenwerper, meegenomen en vlak bij het doel losgelaten.

Hirosjima: 'Niets dan een ziedende zwarte massa'

Ondanks zware tegenslagen en een vrijwel vernietigde industrie vochten de Japanners in juli 1945 nog steeds fanatiek door. De geallieerden overwogen dat een invasie nog meer levens zou gaan kosten en kozen daarom een ander strijdmiddel om Japan tot overgave te dwingen: de Atoombom. Op 6 augustus 1945 werd Hirosjima het eerste slachtoffer van dit verschrikkelijke wapen. Paul Tibbets, gezagvoerder van de *Enola Gay* (genoemd naar zijn moeder), de *B 29* die de eerste atoombom vervoerde, vertelde later: 'Het was een perfecte operatie. We hoorden en voelden de ontploffing: we werden ontzettend door elkaar geschud. We doken, kwamen weer omhoog en toen we recht lagen, zagen we de flits. De staartschutter zei: "Ik kan het zien aankomen," waarmee hij de schokgolf bedoelde. Hij was nog niet uitgesproken of de eerste klap gooide het vliegtuig bijna op zijn staart. De tweede was minder hevig en de derde was te verwaarlozen. De paddestoel werd steeds groter. Toen we kwamen, hadden we natuurlijk de stad gezien, maar toen we wegvlogen zagen we niets dan een ziedende zwarte massa. We namen vlug een paar foto's en maakten dat we wegkwamen: ze hadden ons verteld over het gevaar van de straling. We draaiden dus en vlogen op een hoogte van tien kilometer terug naar huis.'

Schiphol in een halfjaar hersteld

De luchthaven Schiphol die voor het uitbreken van de Tweede Wereldoorlog een van de modernste in heel Europa was (zij kreeg als tweede luchthaven in Europa verharde start- en landingsbanen), moest het in de oorlogsjaren hevig ontgelden. Na in mei 1940 platgegooid te zijn, werd Schiphol vele malen door de geallieerde bommenwerpers bezocht.
Toen de Duitsers zich moesten terugtrekken, vernietigden ze Schiphol zo systematisch, dat het na de oorlog bijna geheel van de grond af aan opgebouwd moest worden. De wederopbouw werd onder de bezielende leiding van Jan Dellaert energiek aangepakt.
Het ging zo verrassend snel, dat op 28 juli 1945 het eerste verkeersvliegtuig weer op Schiphol kon landen. Foto: de afdeklaag wordt op de startbaan aangebracht; op de achtergrond een *DC 4*.

Albert Plesman koopt vliegtuigen voor KLM

Albert Plesman had zich in 1940 op last van de Duitsers in het oosten van Nederland moeten terugtrekken. Daar werkte hij, al lang voordat de oorlog was afgelopen, aan nieuwe plannen voor de KLM. Vóór het einde van de oorlog vertrok hij naar Amerika om uit te kijken naar nieuwe vliegtuigen. Tot ieders verbazing kwam hij terug met de toezegging dat *Douglas* 17 vier-motorige *DC 4's* en enkele tientallen twee-motorige *DC 3's* zou leveren. Nadat Schiphol was hersteld, werden de

eerste verbindingsvluchten in Nederland onderhouden door de regeringsvlieg-dienst, die zes *De-Havilland-DH-89-Dominie*-tweedekkers tot haar beschikking had (foto boven). Daarmee werd op 27 september 1945 de lijn Amsterdam-Eindhoven-Maastricht geopend. De eerste *C 54's* (militaire versie van de *DC 4*) kwamen binnen en werden door Fokker tot passagiers-vliegtuigen omgebouwd. Met de *DC 4's* werd op 28 november de Indië-lijn heropend. De *DC 3's* onderhielden het Europese luchtnet. In 1946 werd begonnen met transatlantische vluchten, waarvoor men de nieuwste machine van de KLM gebruikte: de *Lockheed Constellation* (foto onder). Deze was als eerste KLM-vliegtuig uitgerust met een druk-cabine, zodat er boven slecht weer kon worden gevlogen. Had de *DC 2* de reis naar Indië al tot zeven dagen teruggebracht, de 'Connie' deed er nog maar vier dagen over.

Geen vredestijd voor nieuwe luchtmacht

Na de oorlog moest in Nederland weer een lucht-macht worden opgebouwd. Al gedurende de oorlogstijd besprak de Nederlandse regering in Londen de mogelijkheden daartoe. Geprobeerd werd de *LVA* en de *MLD* (marineluchtvaartdienst) en vliegtuigen van het KNIL samen te voegen tot een luchtmacht, die in Indië tegen de Japanners zou strijden. Toen dat mislukte, werden in februari 1945 de Luchtstrijdkrachten (LSK) opgericht, die met een depot in Eindhoven van start gingen. Als enige gevechtseenheid was er het 322e squadron *Spitfires*. In 1948 werd dit

tijdens de politionele acties ingezet. Koningin Wilhelmina had op 7 december 1942 zelfbestuur aan Indië beloofd, onder voorwaarde dat de machtsovername ordelijk zou verlopen. Dat lukte na het einde van de Tweede Wereld-oorlog niet zo best. Er volgden Indonesische 'extremistische' aanvallen, waarop Nederland besloot tot actie over te gaan, maar al op 4 augustus 1947 kwam de Veiligheidsraad tussenbeide. Eind 1948 ging het weer mis en een tweede politionele actie was het gevolg. Het 322e squadron kwam weer in actie (foto boven), samen met de *DC 3's* die boven de om-streden gebieden para-chutisten dropten (onder).

Groot en luxueus, maar veel te langzaam

Ook na de oorlog hielden sommigen vast aan het idee dat passagiers alleen in een vliegboot trans-atlantische vluchten konden maken. De Engelsen wilden graag voortbouwen op het succes van de *Short-Empire*-vliegboten. In 1946 kreeg BOAC interesse in de reus-achtige vliegboot van *Saunders-Roe:* de *Princess,* en bestelde drie exemplaren. De 150-ton-giganten werden alle drie gebouwd, maar slechts één heeft werkelijk gevlogen. De *Princess* werd aangedreven door tien motoren, waarvan de binnenste acht in paren tegen elkaar indraaiende propellers aandreven. De buitenste twee hadden elk een enkele propeller. De drijvers konden worden opgeklapt en vormden zo de vleugeltips. Vreemd genoeg kon de gigant slechts 105 passagiers vervoeren, maar die genoten dan ook een luxe als aan boord van een oceaanstomer. Helaas schafte BOAC in 1950 haar vliegboten af ten voordele van de snellere landvliegtuigen en kwam de *Princess* op de tocht te staan. De machine maakte de eerste proefvlucht twee jaar nadat BOAC haar interesse had verloren. Uiteindelijk werden de drie toestellen bij Calshot voor anker gelegd. Daar hebben ze nog jaren gelegen als een hulde aan het glorieuze verleden van de vliegboten.

25 miljoen dollar voor éénmaal vliegen

De grootste vliegboot aller tijden werd gefinancierd door een particulier.
De Amerikaanse multi-miljonair Howard Hughes spendeerde aan zijn *Hercules* meer dan 25 miljoen dollar! Opvallend is dat de achtmotorige *Hercules* bijna geheel uit hout was opgetrokken.
De bouw van de gigant begon in 1942 in Hughes' eigen fabriek. Toen de romp in juni 1946 klaar was, kwam er 'n transport-maatschappij aan te pas om het enorme gevaarte naar Long Beach te slepen voor de tewaterlating.
Toen de romp in het water lag, werd er een tijdelijke hangar omhoog gebouwd, waarin men aan het toestel verder werkte.
Ofschoon de *Hercules* met zijn spanwijdte van 97½ meter minstens 700 passagiers had kunnen vervoeren, werd hij in de eerste plaats als vracht-vliegtuig gebouwd; ramen ontbraken dan ook…
Howard Hughes zat op 2 november 1947 zelf achter het stuur tijdens de eerste en enige vlucht die de vliegboot ooit maakte. De *Hercules* werd in een goed bewaakte hangar opgeslagen en Hughes had tot zijn dood in 1976 een team technici in dienst om het gevaarte te onderhouden.

'Big Lift': bevoorrading van afgesneden Berlijn

Berlijn werd na de oorlog in twee zones verdeeld: de oostelijke werd door de Russen bezet, de westelijke werd verdeeld tussen de Britten, de Amerikanen en de Fransen. In 1947 volgde een samenvoeging van de Amerikaanse en Britse zone. In juni 1948 ondernam men een ingrijpende geldsanering in West-Duitsland. De nieuwe D-Mark werd een doorn in het oog van de Russen, die hun eigen munteenheid doordreven en trachtten het invoeren van de D-Mark te verhinderen. Toen hun dat niet lukte, sloten ze alle toegangswegen tot de stad af. De westelijke mogendheden antwoordden daarop met de oprichting van een luchtbrug, onder de codenaam *Big Lift*, die de stad van levensmiddelen en andere voorraden moest voorzien. Op 26 juni 1948 begon de Amerikaanse luchtmacht een vrachtdienst vanaf Frankfurt en de RAF startte op de 28ste vanaf Wunstorf. Op het hoogtepunt van de operatie bestond ruim de helft van het vervoer uit kolen en 26 procent uit voedsel. Foto onder: een *Douglas C 54* landt op de luchthaven Tempelhof. De aanvliegroute liep over een begraafplaats. Foto boven: *Douglas C 47's* worden op Tempelhof uitgeladen.

Nieuwe vliegtuigen, nieuwe records

Het vliegtuig maakte in de jaren 1940 tot 1945 zo'n snelle ontwikkeling door, dat alle records van voor de oorlog kinderspel leken. Het eerste na-oorlogse lange-afstandsrecord werd gevestigd door een *Lockheed Neptune*, een tweemotorig marine-verkenningsvliegtuig. De *Neptune*, die 'Truculent Turtle' werd gedoopt, vloog in september 1946 een afstand van 18.083 kilometer (foto rechts). Uit de *Boeing B 29* werd een betere en grotere versie ontwikkeld: de *B 50 Superfortress*, die was uitgerust met reserve-brandstoftanks, radar en een systeem voor bevoorrading in de lucht. Op 26 februari 1949 steeg de *B 50* 'Lucky Lady II' van Fort Worth, Texas, op voor een non-stopvlucht rond de wereld. De bommenwerper landde 94 uur en één minuut later weer op hetzelfde vliegveld. Tijdens de vlucht werd de 'Lucky Lady II' viermaal bijgetankt door een *KB-29*-tanker (bovenaan op foto onder).

Geen auto en ook geen vliegtuig…

De mens is er altijd in geslaagd dingen die op het eerste gezicht niets met elkaar te maken hebben, te laten samengaan. Kort na de Tweede Wereldoorlog bedacht in de Verenigde Staten Robert Fulton een combinatie van auto en vliegtuig. Hij noemde zijn vinding 'Airphibian' (een samentrekking van 'air' en 'amfibie'). Het autogedeelte bestond uit een aluminium tweezitter waaraan men een propeller, vleugels en een staartstuk kon vastmaken. Het ombouwen kostte slechts zeven minuten. Op de weg bracht de Airphibian het tot 70 kilometer per uur en in de lucht haalde het ding zelfs de 180.

De besturing op de grond zowel als in de lucht geschiedde met dezelfde instrumenten. Om vliegklaar te worden moest de auto achteruit in het vleugel-staartstuk rijden, dat met een paar klampen werd bevestigd. Dan kwam de propeller op de neus en kon er worden gevlogen. De combinatie kon met piloot, passagier en 45 kilo bagage ruim 600 km vliegend afleggen.

114

Opgeblazen toestel vliegt de lucht in...

In 1958 ontwikkelde *Goodyear Aircraft* een opblaasbaar vliegtuig: de *Inflatoplane*. Helemaal opgevouwen kon het toestel makkelijk in de bagageruimte van een auto worden meegenomen. De vleugels, het staartstuk en de cockpit bestonden uit dubbelwandig, met rubber bekleed linnen, waartussen men met behulp van een gewone stofzuiger lucht kon pompen. De luchtdruk, nodig om de machine vliegklaar te maken, was minder dan die van een autoband.

Chinese instructeurs voor Noord-Korea

Op de conferentie in Potsdam in 1945 (waar ook over de verdeling van Duitsland werd gesproken) kwamen Rusland en de Verenigde Staten overeen het schiereiland Korea, dat in de oorlog door Japan was bezet, in tweeën te delen. Noch de communisten in Pjongjang, noch de regering van president Rhee in Seoel legden zich bij de twee- deling neer. De 38ste breedtegraad veranderde onder invloed van het groeiend wantrouwen tussen Russen en Amerikanen steeds meer in een ijzeren gordijn. Toen Rhee de Amerikanen meldde dat Noordkoreaanse eenheden op 25 juni 1950 de 38ste breedtegraad hadden over- schreden, gaf president Truman generaal MacArthur onmiddellijk bevel Zuid- Korea militair te steunen. De Noordkoreanen bezetten Seoel en al spoedig waren grote delen van Zuid-Korea in communistische handen. Noord-Korea kreeg Russi- sche vliegtuigen, zoals de *Ilioesjin Il 10* (foto boven) en de *Lavotskin La 11*, beide jagers. De tweede was het laatste Russische jachtvliegtuig met een zuigermotor. China zond vlieginstructeurs om de Noordkoreaanse piloten op te leiden (foto onder; op achtergrond een *La 11*).

Korea, proefveld voor nieuwe straaljagers

In de Koreaanse oorlog kwamen voor het eerst straaljagers met elkaar in gevecht. De Russen zonden al spoedig hun nieuwste jager: de *MiG 15*. Deze machine werd voor een belangrijk deel ontworpen door Duitse vliegtuig-deskundigen, die aan het eind van de Tweede Wereld-oorlog naar Rusland waren overgebracht. Het was de bedoeling dat de *MiG 15* een sterkere versie van de *Junkers Jumo* uit de *Me 262* zou krijgen, maar met de ontwikkeling van deze motor vlotte het niet erg. De Britten bleken echter heel naïef bereid tot het leveren van de tekeningen en enkele exemplaren van de nieuwste *Rolls-Royce-*straalmotor, en de Russen bouwden die meteen voor hun *MiG 15* na.
De Amerikanen kregen een *MiG 15* in handen, toen in september 1953 Koem Sok No naar Zuid-Korea uitweek; hij ontving er 100.000 dollar voor (foto boven). De tegenhanger van de *MiG 15* was de *North American F 86 Sabre*, die nogal opvallend werd beschilderd om hem beter van de *MiG* te doen onderscheiden (foto onder). De *MiG's* waren beter wend-baar en konden sneller stijgen dan de *Sabre's*, maar dat werd ruimschoots goedgemaakt door de Amerikaanse piloten, die bijna allen veteranen uit de Tweede Wereldoorlog waren en veel meer gevechtservaring hadden dan de Noord-Koreanen.

Verderf door napalm, redding door helikopter

Naast het verschijnen van straaljagers op het strijdtoneel gaf de Korea-oorlog nog andere ontwikkelingen zien. Een ervan was de verschrikkelijke napalm. De *F 80 Shooting Star* (de eerste operationele VS-straaljager) kreeg, toen gebleken was dat hij tegen de *MiG 15* steeds het onderspit moest delven, tot taak gronddoelen met napalmbommen aan te vallen. Foto hierboven: een *F 80* werpt zo'n bom af boven Soean, mei 1952. Een ander militair novum was de helikopter. Toen de Korea-oorlog begon, werd het hefschroefvliegtuig weinig toegepast. Bij de wapenstilstand in 1953 behoorde het tot het standaardgereedschap. Helikopters werden het meest gebruikt voor het vervoeren van gewonden en bij reddingsoperaties. Vaak vlogen ze tot ver in het vijandelijk gebied om neergestorte piloten op te pikken. Foto links: een *Bell 47 D*.

De oudjes
doen het nog best

In Korea werden door de
Amerikanen ook nog veel
bommenwerpers uit de
Tweede Wereldoorlog
gebruikt. *B 29's* werden
ingeschakeld om Noord-
Korea 's nachts met behulp
van radar vanaf grote
hoogte te bombarderen.
Naarmate men de radar
vervolmaakte, konden die
bombardementen met steeds
meer precisie worden uit-
gevoerd. Ook de *B 26
Invader*, een middelzware
bommenwerper die in de
strijd om de Pacific goede
diensten had bewezen, werd
ingezet om doelen van
geringe hoogte te bestoken.
Foto: *B 26's* vallen een
rangeerterrein aan.

119

Een combinatie van straalmotor en propeller

Tussen het propeller- en het straalverkeersvliegtuig bevindt zich een over- gangsvorm: de 'turboprop'. Zo'n vliegtuig heeft gewone propellers, die door straalmotoren worden aangedreven. De KLM had vroeger de viermotorige *Vickers Viscount* in dienst die met 63 passagiers een snelheid van 510 km haalde (foto links).
Ook de bekende *Fokker Friendship* is een 'turboprop' (foto onder). De snellere straalverkeers- vliegtuigen verdrongen de turboprops al spoedig op de lange routes, maar op korte afstanden bleken het ideale machines. Een straalvliegtuig is namelijk alleen economisch op grote hoogte; bij een korte vlucht is er geen tijd om die hoogte te bereiken. De turboprop verbruikt op geringe hoogte veel minder brandstof dan het straal- vliegtuig. Vandaar het succes van de *Friendship*, die voor korte routes werd ontworpen en de meest verkochte turboprop (meer dan 600 exemplaren) ter wereld is.

De 'Comet': supersnel, maar het metaal werd moe

Het straaltijdperk in de burgerluchtvaart begon in mei 1952, toen BOAC met een *De Havilland Comet* van Londen naar Johannesburg vloog. Het prototype vloog voor het eerst op 27 juli 1949 en kon met een kruissnel- heid van 780 km per uur 32 passagiers vervoeren (foto). Tijdens de hele ontwikkeling van de *Comet* speelde BOAC een belangrijke rol; zij had een onverwoestbaar vertrouwen in het nieuwe type toen geen andere maatschappij ook maar iets in een straalvliegtuig zag. BOAC had in 1946 al acht *Comets* besteld, maar kocht er uiteindelijk negen. Toen de machine op Johannesburg werd ingezet, bracht ze de vliegtijd tot de helft terug. Het succes was even spectaculair als kort: tussen mei 1953 en april '54 braken drie van de negen *Comets* in volle vlucht doormidden. Eén van die drie ongelukken was misschien te wijten aan hevige moesson-luchtturbulenties bij Calcutta. De andere twee, die boven de Middel- landse Zee plaatsvonden, werden veroorzaakt door metaalmoeheid in de huid van de drukcabine. Metaalmoeheid was destijds een betrekkelijk onbekend verschijnsel, waarmee in het ontwerp onvoldoende rekening was gehouden,

121

Russen verrassen met verkeersmachine

Toen de *Comet* wegens de ongelukken een vliegverbod kreeg opgelegd, was het straalvliegtuig van de baan en vlogen er alleen nog turboprops. Totdat... op 22 maart 1956 op Londen Airport een Russisch straalvliegtuig landde, dat bekend werd als de *Toepolev Tu 104* (foto midden links). De eerste vlucht van die verkeersmachine had een jaar eerder plaatsgevonden en de Russen onderhielden al vanaf eind 1955 een dienst tussen Moskou en Irkoetsk. Het passagiers- toestel was afgeleid van de *Tu-16*-bommenwerper (foto onder; Navo-code- naam: *Badger*). De vliegtuigen hadden dezelfde vleugels, staart en motoren. Alleen de romp was veranderd en bood in de eerdere modellen plaats aan 50 passagiers. De *Tu 104* was twee jaar lang de enige straal- verkeersmachine ter wereld.

De geboorte van twee grote families

Engelands voorsprong op het gebied van straal- verkeersvliegtuigen ging verloren toen de *Comet* een vliegverbod kreeg. Aldus werden de VS het toonaangevende land in de straalverkeersvliegerij. *Boeing* en *Douglas* kwamen elk met een viermotorig straalvliegtuig. De eerste in de reeks *Boeing*-straal- toestellen was de *707*, die in oktober 1958 door *PanAm* in dienst werd genomen op de route New York-Parijs. Het toestel bood plaats aan 180 passagiers. De *707* is sindsdien een van de meest gebruikte lijntoestellen (foto rechts). Het eerste *Douglas*-straal- vliegtuig was de *DC 8*; deze machine kwam een jaar na de *707* in dienst. De *DC 8* luidde voor de KLM het straaltijdperk in. De eerste uitvoeringen van de *DC 8* konden 116 tot 124 passagiers vervoeren met een snelheid van 925 km (foto boven).

Charles Yeager vliegt sneller dan het geluid

Na de Tweede Wereldoorlog ontstond behoefte aan het experimentele vliegtuig. Voor die tijd was er nauwelijks belangstelling voor zuiver onderzoek, want binnen de grenzen die werden gesteld door motoren en constructie-methoden waren de mogelijkheden wel bekend. Pas bij de opkomst van de straalmotor ontstonden poblemen die experimenten noodzakelijk maakten. Toen het vliegtuig de snelheid van het geluid naderde, bleken de oude aërodynamische wetten niet meer van toepassing: machines werden onbestuurbaar en braken zelfs in stukken als ze te dicht in de buurt van die geheimzinnige geluidsbarrière kwamen. In de Verenigde Staten gaf men opdracht een vliegtuig te maken dat die barrière kon doorbreken. Dat leidde in 1946 tot de *Bell X 1,* een toestel met raketaandrijving (foto boven). Omdat de raketmotor niet lang genoeg werkte om er ook mee te kunnen starten, werd het toestel op grote hoogte door een moedervliegtuig losgelaten. Er ging nog een jaar voorbij voor Charles Yeager op 14 oktober 1947 supersonisch vloog. Hij behaalde een snelheid van 1078 kilometer per uur op een hoogte van 12.800 meter ofwel Mach 1,015 (de snelheid van het geluid wordt aangeduid als Mach 1; ze varieert van 1223 km/u op zeeniveau tot 1062 km/u op 11.000 meter en blijft daarboven vrijwel constant). Er werden zes *X-1*-vliegtuigen gebouwd, waarvan één zelfs Mach 2,42 bereikte. Foto onder: piloot Charles Yeager staat op het punt aan boord te gaan van een ander X-vliegtuig: de *Convair XF 92A.*

Opvolgers en collega's van de Bell X 1

De *X 1* kreeg heel wat opvolgers. Hier een familie-
foto van de experimentele
serie, gemaakt op de lucht-
machtbasis Edwards in
Califorinië; in het midden
de *Douglas X 3*, waarvan
de straalmotoren te zwaar
waren om supersonisch te
kunnen vliegen, hoewel het
toestel toch bedoeld was
voor Mach. 3. Het was
overigens de eerste
machine die grotendeels
van titanium werd gemaakt.
Daaromheen, met de klok
mee: de *Bell X 1A*, met een
langere romp, meer brand-
stof en een betere cockpit
dan de *X-1*; de *Douglas
Skystreak*, die vol zat met
meetapparatuur voor het
onderzoek naar het
gedrag van lucht bij
hoge snelheden; dan de
Convair XF 92A, een voor-
studie van het later af-
gelaste *F-92*-project;
de *Bell X 5*, het eerste
vliegtuig met een variabele
vleugelstand; de *Douglas
Skyrocket*, waarmee het
effect van vleugelpijl-
stelling werd bestudeerd;
tenslotte de *Northrop X 4*,
waarmee de mogelijk-
heden van het staartloze
vliegtuig uitvoerig
werden beproefd.

Voor de laatste maal langzamer dan het geluid

Voor de Nederlandse luchtmacht was de *Hawker Hunter* de laatste subsonische jager.
De *Hunt,* uit de stal van *Hawker* (producent van o.m. de beroemde *Hurricane* uit de Tweede Wereldoorlog), bleek een der beste jagers van de jaren vijftig. Bij de Koninklijke Luchtmacht (KLu) verving de als dagjager ontworpen *Hunter* in 1954 de *Gloster Meteor.*
De eerste serie bestond uit *Mk 4's* waarvan er door *Fokker* honderd voor de KLu werden gebouwd. De *Mk 6* (foto) werd eveneens door *Fokker* aan de KLu geleverd. De *Hunter* had een topsnelheid van 1158 kilometer per uur.
De bewapening bestond uit vier 30mm-snelvuur-kanonnen die zo'n kracht hadden, dat de eerste motor van de *Hunter* (type *Rolls-Royce Avon*) de neiging had af te slaan als ze op grote hoogte werden afgevuurd.
Die problemen waren snel verholpen toen *Rolls-Royce* met verbeterde *Avons* voor de dag kwam.

Supersonisch in horizontale vlucht

In de Verenigde Staten kwam de overgang van sub- naar supersonische straaljagers tot stand in één fabriek: *North-American*. Deze nam de *F 86 Sabre*, die zich in Korea bijzonder goed van zijn taak had gekweten, als uitgangspunt en ontwikkelde daaruit de *F 100 Super Sabre*. Al tijdens de eerste testvlucht op 29 oktober 1953 verbeterde de machine het wereldsnelheidsrecord. Testpiloot George Welch bracht het op 1219 kilometer per uur. De *Super Sabre* was het eerste vliegtuig ter wereld dat in horizontale vlucht supersonisch vloog. In 1954 werd de machine operationeel in de Amerikaanse luchtmacht (foto). De *F 100* kwam in twee uitvoeringen op de markt: als jager en als jabo (jachtbommenwerper) en vloog voor heel wat verschillende luchtmachten. De *Super Sabre* was een handelbaar toestel, uitstekend geschikt voor stuntteams.

Motoren boven elkaar, piloten zij aan zij

Het duurde lange tijd voordat de Britse RAF supersonische jagers kreeg. De *Hawker Hunter* was in de tussenfase zeker op zijn plaats, maar een ander project uit die tijd, de *Supermarine Swift*, werd na vele modificaties aan romp- en vleugelvormen, motoren en besturings-instrumenten, reeds een jaar na de indienststelling afgeschaft (foto onder). Pas in 1957 verscheen *Englisch Electric* met de *Lightning:* het eerste Britse supersonische straalvliegtuig. Dit had twee motoren die niet, zoals gebruikelijk, naast elkaar, maar boven elkaar waren gemonteerd. Ook de tweezits-uitvoering was merkwaardig: de piloten zaten naast elkaar. Het toestel had een geweldig klimvermogen. 15 km per minuut (foto links). De *Lightning* was oorspronkelijk als onderscheppingsjager ontworpen, maar bleek in de praktijk een all-round vliegtuig: het kon onder alle weersomstandigheden opereren als nacht- en dagjager en als jacht-bommenwerper. De RAF stationeerde haar meeste *Lightnings* in Duitsland, waar zij langs de Oost-Westgrens patrouilleerden.

Valiant, Vulcan en Victor: de drie 'V-bommenwerpers'

In het begin van de jaren vijftig ontstond er vraag naar strategische bommenwerpers die ook nucleaire wapens moesten vervoeren. Drie Britse fabrieken zetten hun ontwerpers aan het werk om aan de eisen van de RAF te voldoen. Dat resulteerde in drie vliegtuigen die bekend werden als de V-bommenwerpers. De eerste die in het *RAF-Strike Command* operationeel werd, was de *Vickers Valiant.* Het toestel voldeed echter niet al te best, zodat het na een paar jaar uit de roulatie werd genomen. De

tweede bommenwerper rolde uit de *Hawker Siddeley-*fabriek: de *Vulcan,* die in 1956 in dienst kwam (foto boven.) De *Vulcan* is het grootste vliegtuig met deltavleugels. Ondanks zijn misschien wat logge uiterlijk is het toestel zeer goed manoeuvreerbaar en het levert uitstekende prestaties op zowel zeer grote als geringe hoogte. De meest bekende van de V-bommenwerpers is wel de *Handley-Page Victor,* tevens de zwaarste van het drietal. De *Victor* met zijn typische dikke neus werd in 1958 operationeel en kon 15 ton aan bommen meevoeren (foto rechts).

Binnen 15 minuten de lucht in

Na de Tweede Wereldoorlog was het voor de Verenigde Staten duidelijk dat zij een lange-afstands-verdedigings-systeem moesten ont-wikkelen. Daarom werd in maart 1946 het *Strategic Air Command* in het leven geroepen. Zijn eerste doel-stelling: elke vijandelijke agressie ontmoedigen door te dreigen met overweldigende vergelding. De eerste lange-afstands-straalbommenwerper van het *SAC* was de *Boeing B 47 Stratojet*, die in 1947 in dienst kwam. Tegen het midden van de jaren vijftig was de *B 47* eigenlijk verouderd en men zocht naar middelen om de

bommenwerper toch in dienst te kunnen houden. Een oplossing was hem een groter startvermogen te geven, waardoor meer lading kon worden mee-genomen. Foto hierboven: een zesmotorige *Stratojet* vertrekt met behulp van een batterij startraketten. In 1952 kreeg het *SAC* een nieuwe lange-afstands-straalbommenwerper, even-eens van *Boeing*: de *B 52 Stratofortress*, een achtmotorige reus die meer dan 22 ton bommen kan meevoeren. Het *SAC* zorgt ervoor dat een groot deel van de vloot altijd binnen 15 minuten kan starten. Foto rechts: bemannings-leden rennen naar een *B 52* tijdens een oefening.

Meer dan tweemaal zijn gewicht aan brandstof

De eerste supersonische bommenwerper ter wereld was de *Convair B 58 Hustler;* het toestel vloog sneller dan Mach 2. De *B 58* was een slank viermotorig toestel met deltavleugels onder een hoek van 60 graden en vrijwel geheel vervaardigd uit roestvrij staal. Hij kon meer dan tweemaal zijn eigen gewicht aan brandstof meenemen, wat hem een vliegbereik van 8000 km gaf. De lading werd meegevoerd in een enorme 'pod', die veel dikker was dan de romp. Het *SAC* kreeg de *Hustler* in 1956 ter vervanging van de *B 47 Stratojet.*

Een vleugel alléén vliegt beter

Northrop in de Verenigde
Staten was vijf jaar bezig
met het ontwerpen en
bouwen van een experi-
mentele intercontinentale
bommenwerper, de *XB 35.*
De machine bestond uit
niets meer dan een
enorme vleugel, 51 meter
in spanwijdte. Het voordeel
van deze opmerkelijke
constructie: geen romp en
staart die extra lucht-
weerstand opleverden,
zodat een heel efficiënt
vliegtuig ontstond, met
een bereik van (theoretisch)
16.000 kilometer!
De eerste vlucht vond
plaats op 25 juni 1946.
De zuigermotoren met hun
gigantische propellers
bleken echter een onover-
komelijk probleem en

Northrop was blij toen hij
zijn creatie eind 1946 van
straalmotoren kon voorzien.
De sterkste straalmotor
was de *General Electric
TG 180,* die een stuwdruk
van slechts 1800 kilogram
leverde, zodat Northrop er
acht moest inbouwen. Ook
de *YB 49* (onderste foto)
vloog uitstekend, maar
zonder opgaaf van redenen

liet de VS-luchtmacht
het project in 1949 vallen
ten voordele van de
conventionele *Convair B 36.*

Gered door een lading dynamiet

Tot aan het eind van de Tweede Wereldoorlog moest de piloot van een aangeschoten jager zich redden door moeizaam uit de cockpit te klimmen. De snelheid van naoorlogse straaljagers was voor dergelijke manoeuvres veel te hoog, en daarom ontwierp James Martin, van *Martin Baker Aircraft* in Engeland, een nieuw reddingssysteem. Na enig geëxperimenteer kwam Martin op het idee de piloot in geval van nood met stoel en al door een lading dynamiet uit het vliegtuig te laten blazen. Het klinkt of het middel erger is dan de kwaal, en inderdaad kostte het veertiende proefschot van Martins stoel de journalist Charles Andrews (die een verhaal over het ding wilde schrijven en inspiratie dacht op te doen door zich als proefkonijn te melden) een aantal verbrijzelde rugwervels. Het probleem werd echter opgelost door de piloot vóór de lancering in een bepaalde houding te dwingen. Sindsdien heeft de schietstoel heel wat levens gered. Hier een zeldzame fotoserie van zo'n redding. Bij de landing op het dek van de *Franklin D. Roosevelt* vloog de *Crusader* van lt. Kryway in brand. Kort voor de machine in zee plonsde, trok hij aan de handgreep van zijn *Martin-Baker-MK-F5*-schietstoel en even later werd Kryway ongedeerd door een helikopter opgevist.

Russen lossen eerste schot in de ruimte

Op 4 oktober 1957 werd de
wereld wakker geschud
door de melding van Radio
Moskou dat Rusland erin
was geslaagd een kunst-
matige satelliet in een
baan rond de aarde te
sturen: de *Spoetnik I.*
Persbureau *Tass* berichtte
later dat de kunstmaan
83,5 kilo woog.
De Russen hadden voor de
lancering hun inter-
continentale aanvalsraket
tot draagraket omgebouwd.
's Nachts was de grote

middelste trap (24 meter
lang) te zien, terwijl die
door de ruimte tuimelde
en zonlicht van achter de
horizon weerkaatste.
Een Russische ooggetuige
vertelde: 'Toen de raket
op 3 oktober rechtop was
gezet, werden de laatste
systemen gecheckt.
's Avonds arriveerden
twee speciale wagons om
de brandstof in de raket
te pompen; daarna werd het
lanceerplatform ontruimd
op Korolyev, de chef-
constructeur, en enkele
assistenten na. Vanuit het
radiostation kon men de

lancering gadeslaan. In de
dageraad zag ik de weer-
kaatsing van de uitlaat-
vlammen toen de motoren
van de raket werden ont-
stoken, gevolgd door een
zware donder. Eerst was de
raket in rook gehuld.
Steeds hoger en hoger
klom hij. Plotseling was
er een verblindend licht;
vlammen braken aan alle
kanten door de rook heen
en versplinterden de nacht.
Langzaam en zelfverzekerd
klom de raket hemelwaarts.'

Amerika's antwoord: een 'grapefruit-satelliet'

Hoewel de Russen al voor 1957 hadden laten doorschemeren dat zij van plan waren een kunstmaan te lanceren, werd de hele wereld door het Sovjet-ruimteschot verrast. De Amerikanen die onverwacht door een natie, die zij technisch als ondergeschikt beschouwden, voorbij waren gestreefd, schrokken het hardst en ontwikkelden een koortsachtige activiteit. Nog geen twee maanden na de lancering van de *Spoetnik* werd hun drietraps-raket *Vanguard* op het platform van *Cape Canaveral* opgericht. In de neus bevond zich een miniatuur-testsatelliet (1,47 kg), die Kroestsjov later spottend de 'grapefruit-satelliet' zou noemen. Uit de hele wereld waren journalisten uitgenodigd om de lancering in december 1957 te verslaan, maar de VS kregen nóg een klap te verwerken. In plaats van de ruimte in te stormen, kwam de *Vanguard* niet meer dan een paar meter van de grond, kapseisde toen langzaam en explodeerde (foto). Tachtig dagen later slaagde Amerika er dan toch in een satelliet te lanceren: de *Explorer I.* De lading (8,16 kg) bestond uit meteorendetectors en temperatuur- en stralingsmeters. Toen de *Explorer* ruim 2500 km van de aarde verwijderd was, sloeg de stralingsmeter onverwacht in het rood. Dit verschijnsel, de eerste belangrijke ontdekking in de ruimtevaart, bracht James Van Allen ertoe te concluderen dat onze planeet omgord is door een ring van straling. Zou die gordel in de magnetosfeer bemande ruimtevluchten verhinderen?

Een klein land met eigen gevechtsvliegtuigen

Zweden heeft zijn neutraliteit altijd angstvallig gekoesterd. Tijdens de Eerste en Tweede Wereldoorlog wist het land letterlijk buiten schot te blijven. Het kan bogen op een zeer ontwikkelde industrie, wat vooral blijkt uit de produktie van vracht- en personenauto's. De auto-industrie maakt echter ook vliegtuigen, zodat Zweden niet, zoals de meeste landen in West-Europa, afhankelijk is van de ontwerpen en vindingen uit de Verenigde Staten. *Saab* ontwikkelde vlak na de oorlog een eigen straaljager: de *J 29*, bijgenaamd de 'Vliegende Ton'. Helemaal Zweeds was het toestel niet, want de motor werd door Engeland geleverd. Nadien kreeg de Zweedse luchtmacht de beschikking over de *A 32 Lansen*, die in 1958 operationeel werd. Deze werd aangedreven door een *Rolls-Royce-Avon*-straalmotor, wat de gelijkenis met de *Hunter* verklaart. Op de foto zijn van boven naar onder te zien: de *Saab 35 Draken*, de *Saab 105*, de 'Vliegende Ton' en een *A 32 Lansen*.

Starten en landen op de autoweg

Het pronkstuk uit de *Saab*-fabrieken is de *J 37 Viggen* (Bliksemstraal) die in 1971 operationeel werd. Dit toestel heeft een nog meer afwijkende vleugelop-stelling dan bij de *Draken* het geval was. De vleugels zitten eigenlijk omgekeerd: naast de cockpit bevindt zich een hoog geplaatst hoogteroer met kleppen en achteraan een laag geplaatste deltavleugel, ook met kleppen. Deze als 'eend'-configuratie bekend staande vleugel-opstelling geeft de machine zulke goede *STOL*-(Short Take-Off and Landing) eigenschappen dat de *Viggen* aan 500 meter startbaan genoeg heeft en dus overal waar wegen zijn kan landen en opstijgen. Nog een voordeel is dat het onderhoud geen hoog gespecialiseerde kennis vereist.

De Britse *Hawker-Siddeley*-fabrieken produceerden het eerste operationele VTOL-vliegtuig: de *Harrier*, een zeer compacte subsonische jager die ook voor veel andere taken kan worden ingezet. Het toestel wordt aangedreven door een *Rolls-Royce*-turbofan-straalmotor die uitmondt in vier beweegbare pijpen aan de zijkant van de romp: twee voor de vleugelrand en twee onder de vleugel. Bij de start staan de pijpen naar beneden gericht; is het vliegtuig hoog genoeg, dan draaien ze naar achteren (foto boven). De *Canadair*-fabriek vond een andere oplossing voor de loodrechte start. Deze fabriek ontwikkelde een vliegtuig met een kantelende vleugel en motoren die twee grote propellers aandrijven. Bij de start staat de vleugel verticaal en werken de propellers als de rotor van een helikopter; om vooruit te kunnen vliegen wordt de vleugel gekanteld en doen de propellers gewone dienst. Foto onder: een *Canadair CL 84* is bezig met een proef-reddingsactie.

Experimenten met een vliegend bed

Straaljagers met hun kleine vleugels hebben een lange, in tijd van oorlog kwetsbare startbaan nodig om in de lucht te komen. Vandaar de belangstelling voor machines die als een helikopter starten en landen, maar toch vaste vleugels hebben om een hoge voorwaartse snelheid te kunnen halen. 'VTOL' (Vertical Take-Off and Landing), heet zo'n toestel in vakkringen. In 1954 begon *Rolls-Royce* aan een machine waarmee men de aandrijvings- en besturingsproblemen van een VTOL-straalvliegtuig nader wilde bestuderen. Het geval werd al gauw bekend als het 'Vliegende Ledikant' en bestond uit twee straalmotoren met één neerwaarts gerichte straal-pijp, gemonteerd in een hoog vierwielig onderstel. Aan de voor- en achterkant zaten correctie-straal-pijpjes om het apparaat in balans te houden (bovenste foto). Op 3 augustus 1954 maakte het 'Vliegende Ledikant' de eerste vlucht; testpiloot van *Rolls-Royce* Shepherd haalde een hoogte van tien meter. Omdat er weinig ruimte voor brand-stoftanks was overgelaten duurde die eerste vlucht maar tien minuten. In Rusland experimenteerden de *Matvejev*-fabrieken met een soortgelijk toestel. (foto onder).

Tien jaar voor
Gary Powers

Waren in de Tweede
Wereldoorlog verkennings-
vliegtuigen meestal
versies van jagers of
bommenwerpers, in de tijd
van de koude oorlog
ontwikkelden de
Verenigde Staten speciale
spionagevliegtuigen.
In 1955 kwam *Lockheed* met
de *U 2,* die op 24 kilo-
meter hoogte kon vliegen
en een bereik had van
4500 kilometer.
Het project kwam op een
dramatische manier in het
nieuws toen op 1 mei 1960
Gary Powers boven Rusland
werd neergehaald. Powers
was in Pakistan opgestegen
om dwars over Rusland naar
Bodo in Noorwegen te
vliegen, maar halverwege
werd de *U 2* door een
raket even buiten
Sverdlowsk geraakt.
Na een nogal theatraal
proces in Moskou werd
Powers op 19 augustus tot
tien jaar gevangenisstraf
veroordeeld. Die hoefde
hij niet helemaal uit te
zitten; hij werd
op 10 februari 1962
uitgewisseld tegen de
Russische spion Rudolf
Abel die al lange tijd
door de Amerikanen
was vastgehouden.

140

Verkenningsvliegtuigen: hoog en snel

Verreweg het beste en kostbaarste verkenningsvliegtuig ter wereld is de Amerikaanse *Lockheed SR 71* (foto onder). Het toestel haalt meer dan driemaal de snelheid van het geluid en opereert op een hoogte van dertig kilometer. Twee prototypes vestigden in 1965 negen wereldrecords. De *SR 71* werd gebruikt voor spionagevluchten boven Rood-China, Noord-Korea en de USSR; tegenwoordig wordt het meeste lucht-spionagewerk door satellieten gedaan. In tegenstelling tot de meestal speciaal voor spionage ontworpen Amerikaanse machines, zijn de Russische spieders vaak verbouwde bommenwerpers en jagers. Deze verkenningsversie van de *Yakovlev Yak 25*, Navo-codenaam 'Mandrake' (foto boven), kreeg een verlengde romp en een grotere, rechte vleugel om hoger te kunnen vliegen.

Strijd tegen het communisme

Na de Tweede Wereldoorlog wilden de Fransen hun koloniale gebied in Indo-China terug. Ho Tsji Minh riep echter na het vertrek van de Japanse bezetters een onafhankelijk Vietnam uit. De Vietminh, die al tegen de Japanners actief was geweest, begon nu een guerrilla tegen de Fransen en bezorgde hun in 1954 een verpletterende nederlaag. Al lang vóór dat tijdstip waren de Verenigde Staten bij de oorlog betrokken; ze stuurden de Fransen materiaal en adviseurs.

Nu, onder het mom van de strijd tegen het communisme, namen de Amerikanen het over. In het conflict werden veel nieuwe tactieken ontwikkeld. De Amerikaanse super-sonische straaljagers, zoals de *F 100 Super Sabre* (foto links), moesten vanaf geringe hoogte en met zeer lage snelheden (500 km) gronddoelen bestoken. De helikopter, die zich in Korea al had bewezen, werd ingezet als manusje van alles. Hier lossen soldaten onder vijandelijk vuur een *Sikorsky S 58* (foto onder).

'Vliegende takelwagen' redt vele straaljagers

Met het vervoer van voorraden en gewonde soldaten waren de mogelijkheden van de helikopter nog lang niet uitgeput. In de jungle van Vietnam ontpopte de wentelwiek zich tot een handige en wendbare aanvulling op de vaak te snelle straaljager, vooral bij het uitvoeren op geringe hoogte. De machines werden daartoe extra zwaar bewapend, zoals deze *Bell UH 1A* die aan elke kant een batterij raketten meevoert (foto rechts). Zwaardere helikopters, zoals de *Boeing Chinook* (foto boven), kregen naast de taak van het troepen-vervoer de rol van hijs-kraan. Neergeschoten of verongelukte toestellen werden — ook als ze op vijandelijk gebied terechtgekomen waren — opgehaald en naar de basis teruggebracht, om na reparatie weer in gebruik te worden genomen. De 'vliegende takelwagen' redde voor de Amerikanen heel wat dure vliegtuigen!

Verstelbare vleugels deden het toch best

In maart 1968 werden zes *F 111's* naar Vietnam gestuurd om te bewijzen dat het nieuwe 'swing-wing'-vliegtuig (de vleugelpijlstand kon tijdens de vlucht worden gewijzigd) klaar was voor operationele dienst. Binnen drie weken was de helft neergestort, en de *F 111* kreeg een vliegverbod. De verliezen waren te wijten aan een constructiefout in het staartstuk; een simpel te herstellen kleinigheid, maar de pers schreef over het vliegtuig alsof het een totale mislukking was. In feite was de machine echter juist een groot succes. Alleen opererende *F 111's* hadden verscheidene gevaarlijke opdrachten tot diep in Noord-Vietnam uitgevoerd zónder de steun van vliegende tankers, radarstoorzenders en hoogvliegende jagers — voorzieningen die andere bommenwerpers hard nodig hadden. Bovendien hadden ze hun doelen telkens foutloos gevonden en trefzeker geraakt. De *F 111* wordt gebouwd door *General Dynamics* en is nog altijd in gebruik als een duur, maar bijzonder effectief aanvalsvliegtuig.

MiG's en SAM-raketten in Vietnam

Noord-Vietnam werd gesteund door Rusland en China, die in tegenstelling tot de Amerikanen niet zelf meevochten, maar wel militaire adviseurs zonden. De Noordvietnamezen kregen wél alle hulp in de vorm van materiaal. Vliegtuigen ontvingen ze van Rusland zowel als van China; het belangrijkste type was de *MiG 17*. Hoewel bleek dat de Noordvietnamezen goede vliegers waren, konden ze niet op tegen de massale inzet van de Amerikanen, die gedurende de hele oorlog het overwicht behielden. Rusland stuurde ook *SAM-luchtdoelraketten*. Deze werden vanaf de grond met behulp van radar op hun doel afgestuurd, maar tijdens het laatste deel van de vlucht moest bij sommige types een infra-roodzoeker het overnemen; de raket zocht de hitte van de uitlaat en volgde die tot aan het vliegtuig. Door scherpe manoeuvres slaagden de Amerikaanse piloten er nogal eens in de *SAM's* te ontwijken.

Markt voor nieuwe sportvliegtuigen

Aan het eind van de Tweede Wereldoorlog waren er duizenden piloten die in hun vrije tijd wilden blijven vliegen. Veel kleine vliegtuigen die als verkenningstoestel dienst hadden gedaan, bleken nog in uitstekende staat. Particulieren kochten ze voor een appel en een ei. Vooral in Amerika nam de sportvliegerij een hoge vlucht; overal in het land rezen kleine vliegvelden als paddestoelen uit de grond. Fabrikanten roken al gauw afzetmogelijkheden en begonnen nieuwe lichte vliegtuigen te bouwen. Een der bekendste is de *Cessna*-fabriek, die een uitgebreid assortiment opbouwde. De *Cessna Aerobat* (foto boven) is een type dat verstevigde vleugels kreeg om er veilig mee te kunnen stunten. Overal ter wereld is op kleine vliegvelden de *Tiger Moth* van de Britse *De-Havilland*-fabrieken te vinden (foto onder). Deze lichte tweedekker kwam al in 1931 in produktie en tot 1945 zijn er duizenden exemplaren gebouwd, waarvan er vele nog dagelijks hun waarde bewijzen.

'Icarus': eenvoudiger kan het niet

Vliegen voor iedereen is een schone zaak, maar het blijft een dure hobby. In de Verenigde Staten vond men een goedkope en simpele oplossing: de *Moto-Delta*. Een bijzonder lichte eenzitter met een driewielig onderstel en een 18-pk-motor die een duwpropeller aandrijft. De kruissnelheid van het toestel is 75 kilometer per uur. De vleugel is van hetzelfde type dat intensief wordt gebruikt in de nieuwe sport 'zeilvliegen' (pag. 149). De Amerikaan John Moody vond een nog eenvoudiger manier om te vliegen: hij bouwde een 12-pk-tweetakt-motortje in een *Icarus-hang-glider*-bouwpakket (foto onder). Moody was ontevreden dat hij met zijn *Icarus* niet uit de voeten kon omdat er bij hem in de buurt niet genoeg heuvels waren om van te starten. Gemotoriseerd moet Moody ongeveer 50 meter hard-lopen om in de lucht te komen. Eenmaal opgestegen schakelt hij de motor uit en kan hij verder zweven; de motor heeft geen nadelige invloed op de zweefcapaciteit. De motor kan tijdens de vlucht weer worden aangezet om nog hoger te klimmen of om een geschikte landings-baan uit te zoeken.

Boven Soestdijk mag niemand zweven

Zweefvliegen is zeilen met een derde dimensie: de hoogte. Om die hoogte te kunnen bereiken worden zweefvliegtuigen met een lier of achter een sleep-vliegtuig in de lucht getrokken. De kabel van de lier heeft echter een beperkte lengte en een sleepstart is een kostbare geschiedenis; een hulp-motor is daarom een uit-komst, zoals de boven af-gebeelde 50 pk 'ducted fan' (getunnelde propeller), die op elk type zweefvliegtuig kan worden gemonteerd. In de lucht gebruiken de zwevers *thermiek* (op-stijgende warme lucht vanaf b.v. zandgrond of van-uit een stad) om nog meer hoogte te winnen. Dikwijls zoeken de zweefvliegers thermiekbellen op, waarin ze, eindeloos rondjes draaiend, steeds hoger kunnen klimmen.
In Nederland is zweef-vliegen een populaire sport, maar er is helaas weinig ruimte voor beschikbaar, terwijl de vliegers ook nog allerlei beperkingen zijn opgelegd. Zo mag niet boven paleis Soestdijk worden gevlogen en verboden gebied zijn ook het reactorcentrum Petten en de luchthaven Schip-hol en directe omgeving. In minder dicht bevolkte landen hebben zweef-vliegers het wat gemakkelijker. Foto onder: voorbereidingen voor het wereldkampioenschap in Gloucestershire, Engeland.

Als in de dagen van Lilienthal

Wie zweefvliegen te duur vindt of geen vliegveldje in de buurt heeft, zou zich te buiten kunnen gaan aan een andere luchtige hobby: 'hang gliding' of zeil-vliegen. Beide termen geven

een deel aan van wat er gebeurt. Het vaartuig bestaat uit een paar stangen en een grote lap zeil, waar de vlieger in een harnas onder hangt. Door van een grote hoogte te springen kan hij zijn zeiltoestel langzaam naar beneden laten zweven.

Sturen doet de vlieger door zijn lichaam naar voren, naar achteren of opzij te verplaatsen, net als Otto Lilienthal aan het eind van de vorige eeuw al deed. Foto: in april 1978 kwamen in Monaco 's werelds beste delta-

vliegers tegen elkaar uit in een groot concours; vanaf duizend meter hoogte zweefden zij boven het kleine vorstendom.

Vliegen op eigen kracht voor 50.000 pond

In 1959 loofde miljonair Henry Kremer (een Engelse industrieel) een prijs ter waarde van 5000 pond uit voor het eerste, direct door menselijke spierkracht aangedreven vliegtuig, dat een figuur in de vorm van een 8 zou vliegen rond twee minstens 800 meter uit elkaar geplaatste bakens. In 1973 werd de prijs verhoogd tot 50.000 pond, en op 23 augustus van dat jaar werd eindelijk, na tal van mislukte pogingen in verschillende landen, de voorgeschreven vlucht gemaakt door de *Gossamer Condor*. Bouwer van dat vliegtuig is de Amerikaan Paul MacCready (wereldkampioen zweefvliegen in 1956), piloot was de 24-jarige wielrenner en zeilvliegenthousiast Brian Allen. Uiterst dunwandige aluminiumbuis, veel pianodraad en flinterdunne Mylar-bekleding maken de *Condor* tot een revolutionair toestelletje: de vleugelspanwijdte is ongeveer 30 meter — niet veel minder dan die van de *Fokker Friendship* — en het leeggewicht is minder dan 25 kilo! Overigens valt er nog 10.000 pond te verdienen voor de eerste niet-Amerikaan die de vlucht van de *Condor* nadoet, en 100.000 pond voor de eerste die Het Kanaal oversteekt in een 'spierkracht-vliegtuig'.

Snel zaken doen in een vliegend kantoor

Soms lijkt het alsof alle vliegend materieel voornamelijk bestaat uit jagers, bommenwerpers en verkeersvliegtuigen, aangevuld met een kleine hoeveelheid aan bijzonder welgestelde lieden toebehorende sportvliegtuigjes. Niets is echter minder waar. Het grootste deel van alles wat vliegt, houdt zich bezig met andere taken, die men gewoonlijk laat samenvallen onder de term 'algemene luchtvaart'. Daarmee wordt niet alleen de sportvliegerij bedoeld, maar ook luchtreclame, geologisch onderzoek vanuit de lucht, reddings- en ambulancevluchten, besproeiing van gewassen en de zakenluchtvaart. In totaal gaat het hier om bijna 200.000 vliegtuigen! Vooral de zakenluchtvaart maakt een sterke groei door, en heel wat grote bedrijven houden er een eigen vliegdienst op na. De eerste zakenvliegtuigen, zoals de *Beechcraft Staggerwing* uit de jaren dertig (foto hieronder), waren meestal eenmotorige propeller-kistjes; tegenwoordig zijn tweemotorige straal-vliegtuigen (geheel onder: *Aerospatiale Corvette*), die zijn ingericht als een comfortabel kantoor, geen uitzondering meer.

Sproeien gaat het best vanuit de lucht

Het lichte vliegtuig heeft ook voor de landbouw aantrekkelijke mogelijk-heden. Met name in de Verenigde Staten worden op grote schaal vliegtuigen gebruikt om insecticiden over de gewassen te sproeien. In het begin werden daartoe gewone sportvliegtuigen omgebouwd, maar later ontwikkelden de fabrikanten speciale landbouw-versies, zoals de *Cessna AGtruck*. Deze kan 950 liter vloei-stof meenemen en heeft een werksnelheid van 200 kilometer per uur. De tank bevindt zich tussen de motor en de piloot en de sproei-openingen zitten langs de achterrand van de vleugel.

Compleet met brancards, dokter en verpleegster

Bij spoedeisend zieken
vervoer over grote afstand
is het lichte vliegtuig
ook al vaak een reddende
uitkomst gebleken. Zaken-
kisten konden makkelijk
tot vliegende ambulance
worden omgebouwd,
compleet met brancards,
medische apparatuur en
plaats voor dokter en
verpleegster. Foto onder:
een *Corvette* van *Jetstar
Holland* vervoert zieken
voor een Amsterdamse
ambulance-onderneming.
Ook de helikopter deed,
vooral in Korea en
Vietnam, veelvuldig dienst
als ziekentransportmiddel.
Foto boven: deze
Sikorsky Skycrane pakt
de medische dienstverlening
wel heel groot aan: hij
verplaatst een compleet
noodziekenhuis.

Egyptische MiG's onderhouden door Engelsen

Het verbreken van de diplomatieke betrekkingen met Rusland (1972) plaatste president Sadat voor ernstige problemen. Egyptes luchtmacht is uitgerust met uiterst modern Russisch materieel, maar al dat fraais is volkomen waardeloos als de fabrikant weigert voor het onderhoud te zorgen. Daarom heeft Sadat sinds de onenigheid met Rusland tal van westerse landen bezocht en flink wat nieuwe jachtvliegtuigen besteld, onder andere *Jaguars* en *Mirage F 1's*. Ook de helikopters van Russische makelij, zoals de bovenaan afgebeelde *Mi 6* 'Hook', worden geleidelijk vervangen door westerse types. Gelukkig voor Sadat hoeft niet al het Russische materieel onmiddellijk op non-actief te worden gezet: China leverde een groot aantal motoren en reserve-onderdelen voor de *MiG 17's* (foto onder toont een Syrisch exemplaar), terwijl de Engelse vliegtuig-fabrikant *British Aerospace* in staat en bereid bleek tot het reviseren en moderniseren van de *MiG 21's!*

Ook de Chinezen vliegen graag met de MiG 23

Een van de modernste Russische vliegtuigen is de *MiG 23* (Navo-codenaam 'Flogger'). De Sovjet-luchtmacht heeft ongeveer 800 machines van dit type in dienst, en het ziet ernaar uit dat de *MiG 23* in de komende tien jaar de *MiG 21* gaat opvolgen als de belangrijkste jager van het Warschaupact. Rusland verkocht het toestel aan verschillende landen in het Midden-Oosten: Egypte heeft er zo'n 50, waarvan er één, tot groot ongenoegen van de Russen, in ruil voor de geleverde reserve-onderdelen (zie vorige pagina) aan China werd doorverkocht; de Chinezen willen een verbeterde versie in produktie nemen, uitgerust met Engelse (!) motoren. Ook Ethiopië, Irak, Syrië en Libië vliegen met de *MiG 23*. Het afgebeelde toestel is van de Libische luchtmacht.

Israël betrekt meeste machines uit Amerika

Israël spendeert een zeer groot deel van zijn bruto nationaal produkt aan wapens; over 1976-77 maar liefst 35 procent! Niet al dit geld — het gaat om een bedrag van meer dan tien miljard gulden — wordt in het buitenland uitgegeven, want Israël heeft ook een eigen luchtvaartindustrie (zie volgende pagina). Verreweg het meeste en ook duurste materiaal komt echter nog steeds uit de Verenigde Staten. Zo heeft de Israëlische luchtmacht ruim 200 *F 4 Phantoms* en meer dan 250 *A 4 Skyhawks* (foto) in dienst. Bovendien beschikt ze sinds kort over 25 ultramoderne F 15's, machines die voorlopig geen vergelijkbare Russische tegenhanger hebben. Toch is het niet de hogere kwaliteit van het Amerikaanse materieel die Israël zijn overwicht op de Arabische landen heeft bezorgd, maar vooral de betere pilotenopleiding en perfecte organisatie. In de toekomst wordt dat laatste overigens naar alle waarschijnlijkheid het enige echte verschil tussen de Arabische en Israëlische luchtmachten, aangezien de Arabische landen hoe langer hoe meer op westerse vliegtuigen overstappen.

'Leeuwejong' vliegt beter dan 'Luchtspiegeling'

Ook in Frankrijk heeft de Israëlische luchtmacht jagers gekocht: in totaal 72 *Mirage IIIC*'s en een drietal tweezits-*IIIBJ*'s. Hiervan zijn misschien nog zo'n vijftig vliegtuigen over, verdeeld over drie onderscheppings-eskaders. Ze worden langzamerhand in aantal overtroffen door de in Israël gebouwde variant van de *Mirage*, de *Kfir* ('leeuwejong'), die voorzien is van de Amerikaanse J79-straalmotor (waarmee ook de *Phantom* is uitgerust). De *Kfir* werd ontworpen, in reactie op de Franse weigering om *Mirage V*'s aan Israël te leveren. De afgebeelde C2-versie, op 20 juli 1976 voor het eerst getoond, verschilt van de oorspronkelijke *Kfir* door de enigszins vóór en boven de hoofd-vleugel aangebrachte 'eendvleugeltjes', die de wendbaarheid aanzienlijk verbeteren.

Nieuw strijdmiddel: de vliegtuigkaping

De Palestijnse vrijheids-strijders hebben aan het begrip oorlog een nieuw element toegevoegd: de vliegtuigkaping, waarmee zij de aandacht van de wereldopinie op hun zaak trachten te vestigen. Het doel van dergelijke desperate acties — vrede en recht voor de ontheemde Palestijnen in Israël — lijkt niet in overeen-stemming met de middelen. Op 17 december 1973 bestormden vijf Arabische commando's op het Romein-se vliegveld Fiumicino een Boeing 707 van Pan Am. Het werd een gruwelijke slachting, die aan 32 mensen het leven kostte. Foto links: een stewardess kijkt vertwijfeld naar de brandende machine. De commando's verwoestten grotendeels de reeds bezette passagiers-compartimenten en renden met vijf gijzelaars naar een Lufthansa-Boeing 737. De Nederlandse gezag-voerder Jo Kroese moest zich onder dwang naar zijn toestel begeven (foto midden), langs een op het platform

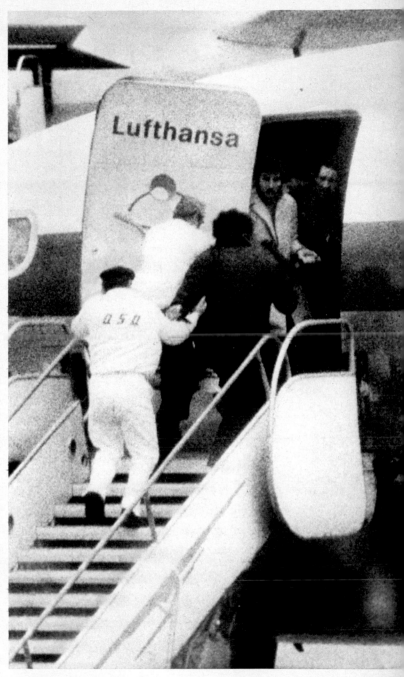

liggende, dodelijk gewonde passagier. Ook twee man van het Italiaanse grond-personeel (foto rechts) werden meegenomen. Een uur later steeg het vliegtuig op en vloog naar Athene, waar nog zestien uren van uiterste verwarring volgden. In weerwil van hun dreige-menten richtten de kapers geen nieuwe slachting aan, al bleek later toch een gijzelaar vermoord te zijn. Zonder dat hun eis (vrij-lating van twee in Griekenland vastgehouden Palestijnen) was ingewilligd, lieten de kapers de *Boeing* via Damaskus doorvliegen naar Koeweit. Daar eindigde het drama met de overgave van de commando's en de vrijlating van de gijzelaars. Zelfs de Palestijnse organisatie PLO uitte later haar afschuw over de bloedige terreurdaad.

Fataal misverstand:
581 doden op Tenerife

Zondag 27 maart 1977:
Het vliegveld Las Palmas
is gesloten wegens een
bomexplosie en veel
toestellen zijn uitgeweken
naar het eiland Tenerife.
Daarbij is ook een PanAm-
Boeing 747 met 394
mensen aan boord en
de KLM-*Boeing 747 Rijn*
met 248 inzittenden.
Als Las Palmas weer open-
gaat, heeft de PanAm-jet
drie uur staan wachten;
er is al bijgetankt, alles
is klaar. Het KLM-toestel
is nog bezig met tanken.
PanAm vraagt daarom
aan de toren of zij als
eerste mag vertrekken.
Helaas, dat kan niet.
Er staan zoveel vlieg-
tuigen op het platform,

dat er voor de *Jumbo's*
geen ruimte overblijft
om elkaar te passeren.
Zelfs de parallel aan de
startbaan lopende taxi-
baan is door de drukte
niet bruikbaar. Daarom
rijdt de KLM-machine
over de startbaan zelf
naar het vertrekpunt.
Even later volgt de
PanAm-jet die opdracht
heeft de startbaan af te
rijden tot afslag C3 en
daarna het vrije deel van
de taxibaan op te zoeken.
Maar hier gaat iets mis:
de PanAm-bemanning,
onbekend met het vliegveld
en bovendien gehinderd
door slecht zicht, rijdt
afslag C3 voorbij. Dat
had geen ernstig probleem
hoeven zijn, want vóór ze
de KLM startvergunning
geeft, moet de verkeers-

leiding de positie van
de PanAm-*Clipper*
controleren. Maar juist
over die startvergunning
ontstaat tussen KLM-
gezagvoerder van Zanten
en de verkeerstoren het
fatale misverstand.
De KLM-machine is aan-
gekomen op het vertrek-
punt en meldt zich.
De toren geeft het
vluchtplan, de *Rijn*
herhaalt. Dan staat er
op de geluidsbanden van
de toren een melding van
de KLM die niet goed te
verstaan is: 'Wij rijden
en gaan' of 'Ik ga
rijden.' De toren
antwoordt: 'Stand by, ik
roep u op voor start-
vergunning.' Meteen meldt
PanAm aan de toren
dat 'Clipper' nog op de
startbaan is. Van Zanten
is dan al bezig aan zijn
startaanloop en té
dichtbij om nog te
kunnen remmen. Hij ziet
het PanAm-toestel en
geeft een ruk aan de
stuurknuppel om er nog
overheen te komen, maar
zijn machine heeft net
niet genoeg snelheid.
De staart slaat tegen
de baan en trekt een
spoor van 22 meter, dan
volgt de klap. De botsing
tussen beide Jumbo's
is de zwaarste lucht-
verkeersramp in de historie:
581 doden.
'Vergissing van de
piloot', luidt de
conclusie inzake meer
dan de helft van alle
luchtvaartongelukken.
Maar belangrijker dan de
eventuele schuldvraag is:
hoe voorkomen we
dergelijke ongelukken
in de toekomst?

Starten en landen op achtentwintig wielen

De *Lockheed Galaxy* is op het ogenblik het grootste vliegtuig ter wereld; het kan 135 ton over een afstand van 4500 kilometer vervoeren (foto boven). Ondanks dit enorme gewicht heeft de *Galaxy* genoeg aan een noodlandingsbaan van één kilometer. De baan hoeft niet verhard te zijn; aangestampte aarde is voldoende, aangezien het toestel is uitgerust met een landingsgestel van 28 wielen. De *Galaxy* is zó groot, dat een volledig uitgeruste divisie, verdeeld over twee dekken (troepen op het bovenste, materieel op het onderste dek), binnen een paar uur kant en klaar op het slagveld kan worden afgeleverd. De Russische tegenhanger van de *Galaxy*, hoewel niet zo groot, is de door acht contra-roterende propellers aangedreven *Antonov 22* (foto onder).

Grote vliegtuigen zijn goedkoper

In de jaren zestig groeide het burgerluchtverkeer enorm snel. Vliegtuigbouwers en luchtvaartmaatschappijen waren het erover eens dat de nieuwe generatie verkeersvliegtuigen voor de lange afstand - de opvolgers van de inmiddels op leeftijd rakende *Boeing 707* en *DC 8* - een stuk groter moest worden dan de voorgaande, om het toenemende aantal passagiers zo economisch mogelijk te kunnen verwerken. Grote machines vliegen immers een stuk goedkoper dan kleine, vooropgesteld dat de stoelen bezet zijn. Bovendien hoeft een groot vliegtuig om hetzelfde aantal passagiers te vervoeren minder starts en landingen te maken dan een klein vliegtuig, zodat vliegvelden, minder zwaar belast worden. Boeing ontwierp daarom de *747* 'Jumbo Jet'. Afhankelijk van de opstelling van de stoelen kan de Jumbo tot 490 passagiers tegelijk over de oceaan vliegen! Douglas kwam met de hier afgebeelde *DC 10,* een driemotorige reus, die bedoeld is voor de middelgrote afstanden. De KLM heeft beide 'wide bodies' in dienst en de machines zijn een groot succes, al steeg het passagiersaanbod niet zo snel als men hoopte.

Van kompas en peilglas tot beeldscherm

De ontwikkeling van het vliegtuig is niet alleen aan de buitenkant te zien. Het cockpit-interieur van de *Fokker F 7,* de H-NACC die de beroemde vlucht naar Batavia maakte, lijkt in onze ogen haast al te primitief: de navigatie-hulpmiddelen bestaan uit een simpel kompas in het midden tussen de stoelen en de motor moet het doen met een water- en olie-meter. Om te weten hoeveel benzine hij nog had moest de piloot schuin over zijn schouder omhoog kijken naar vier peilglaasjes. Het cockpit-interieur van een hedendaags vlieg-tuig, in dit geval een *Boeing 707,* is op zijn minst verwarrend. Vóór zitten de gezagvoerder en de tweede piloot, rechts-achter de boordwerktuig-kundige. Het ontzaglijke aantal meters en knopjes wordt zelfs voor een gespecialiseerde vliegtuig-bemanning te veel. Maar de instrumentbouwers zijn hard aan het werk en de vliegtuigen van de jaren negentig zullen misschien wel eenvoudiger cockpits krijgen dan de *F 7* had. Men experimenteert thans met televisieschermen waarop de bemanning alles kan aflezen. Zo'n beeldscherm geeft alleen de uitslag van de instrumenten die op het moment zelf belangrijk zijn, niet alles tegelijk dus, zodat de bemanning minder wordt afgeleid.

Volledige maaltijd in plaats van lunchpakketje

In de jaren twintig vlogen passagiers in deze cabine van een *Fokker F 3* naar Londen en Brussel, (foto boven) Reclametekst van de KLM: 'De kajuit is buitengewoon gerieflijk ingericht. De vijf passagiers zitten in prettige, goed veerende fauteuils, waarvan er langs den achterwand drie zijn aangebracht en twee daarvoor los staan, maar toch zo bevestigd, dat ze niet kunnen kantelen. Uit de zijramen, waar coquette gordijntjes voor hangen, heeft men een onbelemmerd uitzicht over het wisselend landschap. Immers, de kajuit hangt vrij onder den vleugel.' Een voorbeeld van een cabine anno 1978 is het zogenaamde 'wide body'-interieur van een *DC 10*. Tien passagiers zitten naast elkaar en in totaal kunnen er 269 worden vervoerd. Ze zijn van alle gemakken voorzien: verstelbare stoelen, een groot scherm waarop films kunnen worden vertoond, verscheidene toiletten en niet te vergeten drie stewardessen die drankjes en volledige maaltijden serveren. De *Fokker*-passagiers moesten het doen met een tevoren uitgereikt lunchpakketje.

Vleugels voor snel én langzaam vliegen

Hoe sneller het vliegtuig, hoe kleiner de vleugel. Want een grote vleugel levert bij hoge snelheden meer draagkracht dan nodig is, en heeft bovendien te veel luchtweerstand. Maar ook een snel toestel moet wel eens langzaam vliegen, bij start en landing bijvoorbeeld. In 1931 bouwde de Franse ingenieur Makhonine een vliegtuig met uitschuif-vleugels (beide foto's boven). De constructie was echter gecompliceerd, tamelijk zwaar en niet al te stevig. Bovendien was er in de jaren dertig eigenlijk nog geen behoefte aan een machine met variabele vleugels. Na de oorlog werd het vliegtuig dank zij de straalmotor echter plotseling een stuk sneller, en het idee van een variabele vleugel leek wel aantrekkelijk. In Engeland ontwierp dr. Barnes Wallis in het begin van de jaren vijftig de *Swallow* (foto onder), een revolutionair verkeers-vliegtuig met een geprojecteerde kruis-snelheid van Mach 2,5, terwijl de startbaan toch niet langer dan 300 meter hoefde te zijn. De spectaculaire prestaties van de *Swallow* waren mogelijk dankzij de variabele pijlstand van de vleugels, die bij hoge snelheden naar achteren zouden wijzen. Jammer genoeg ontbrak het *Vickers Armstrong*, de fabriek waar Wallis voor werkte, aan geldmiddelen om het ontwerp op eigen houtje verder te ontwikkelen, en de Engelse regering weigerde haar steun.

Geen variabele vleugels in de verkeersluchtvaart

In de jaren zestig gebruikte de Amerikaanse vliegtuigfabrikant *Boeing* de ideeën van Wallis bij zijn SST-ontwerp (SST staat voor SuperSonic Transport): de *733,* waarvan hier de 'mock-up' (houten schaalmodel) is afgebeeld. Deze machine had moeten kruisen met Mach 2,7. Aan boord was ruimte voor ongeveer 200 passagiers. De luchtvaartmaatschappijen, geplaagd door oliecrisis en economische teruggang, zagen er echter niet veel in; bovendien waren er moeilijk oplosbare technische problemen, zodat het project in de ijskast verdween. Intussen zijn er wèl met succes militaire 'swing wingers' gebouwd, zoals de F 111 en de *MRCA* bewijzen (pagina's 144 en 183).

Brits-Franse Concorde: een duur prestige-project

In Europa werd er door BAC (British Aircraft Corporation) en het Franse Aérospatiale aan een supersonische verkeers-machine gewerkt: de *Concorde*. De Britten en de Fransen hadden vanaf het begin (1960) onafhankelijk van elkaar een programma opgesteld en waren min of meer tot dezelfde conclusie gekomen: de toekomstige SST moest een slanke machine met een delta-vleugel worden, die ongeveer 100 passagiers zou kunnen vervoeren. De snelheid kon niet groter zijn dan Mach 2,2 omdat anders de wrijvingshitte te groot zou worden.
Vanaf de eerste fase van de ontwikkeling was er al rumoer rond het toestel geweest. Men vroeg zich af of de kosten er wel uit te halen waren en hoe het zat met de luchtvervuiling door zulke supermotoren. Ondanks de twijfels en na veelvuldig uitstel door technische problemen, vond de eerste vlucht plaats op 2 maart 1969, twee maanden later dan die van het *Tu 144*-prototype.
Door verschillende lucht-vaartlijnen werden al in 1971 in totaal 74 *Concordes* besteld. Nu, 1978, zijn er nog maar 14 gebouwd en afgeleverd, alle in gebruik bij *British Airways* en *Air France*. Het belangrijkste argument uit de jaren zestig schijnt bewaarheid te worden: de kosten van ontwikkeling en bouw wegen te zwaar om het toestel economisch rendabel te maken. Maar er staat zoveel prestige op het spel, dat het de vraag is of het project alsnog kan worden geschrapt.

Snelheid is geen verkoopargument meer

Uit de reclame van de luchtvaartlijnen krijgt men wel eens de indruk dat ze de gunst van het reizend publiek alleen nog kunnen proberen te verwerven door de charme van de stewardessen en de kwaliteit van de maaltijden hoog op te hemelen. Vliegtuigstoelen moeten nu eenmaal worden verkocht en als luchtvaartmaatschappij kun je in je advertenties niet meer beweren dat je 'veel sneller' over de oceaan vliegt.
Het aanprijzen van een kortere reisduur heeft voorlopig afgedaan: de uiterste grens van het subsonische transport is bereikt en alle vliegtuigen gaan bijna even snel. Totdat... het tijdperk van het vliegen-sneller-dan-het-geluid is aangebroken over de hele linie van de burgerluchtvaart!
Op de luchtvaartshow in **1971 te Parijs** verrasten de Russen de hele wereld met het eerste supersonische verkeersvliegtuig. Twee jaar later is de *Tu 144* er weer, maar ditmaal eindigt de voorstelling in een catastrofe. Na een laag rondje over het tentoon-stellingsterrein schijnt er iets van het toestel af te breken. Het ontploft en komt in de voorstad Goussainville neer. Acht inwoners en de zes in-zittenden van de machine komen om. Volgens de Russische experts kon de oorzaak niet worden achter-haald, omdat de 'zwarte doos' defect was.

Frankrijks eigen luchtvaartindustrie

De Franse luchtvaart-industrie is niet zo groot als de Engelse of Amerikaanse, maar ze heeft toch een aantal opmerkelijke successen op haar naam gebracht en is ruim vertegenwoordigd in vele internationale projecten. In 1955 bouwde *Sud-Aviation* (inmiddels opgegaan in het staatsbedrijf *Aérospatiale*) met veel succes het eerste straal-verkeersvliegtuig voor de korte afstand, de *Caravelle*. Hoewel het ontwerp tot op zekere hoogte lijkt op dat van de Engelse *Comet*, werden de motoren niet weggewerkt in de vleugelwortels, maar aan de staart gemonteerd, met als voordelen gemakkelijk onderhoud en minder lawaai in de cabine. Het bleek een goed idee, dat veel navolging vond: kijk maar eens naar de *DC 9* en de *Fokker Fellowship*.
Een ander uitstekend Sud-Aviation-produkt was de serie Alouette-helikopters, gebouwd voor zowel militaire als burgerdoeleinden. Van de *Alouette II* werden ruim 2000 exemplaren verkocht aan meer dan 30 landen.

Nieuw jachtvliegtuig van Franse bodem

In de jaren tachtig wil de Franse Armée de l'Air haar oudste *Mirage*-jacht-vliegtuigen — tegen die tijd zo'n 20 jaar oud — vervangen door een nieuwe jager van eigen bodem, de *Mirage 2000*.
Deze machine wordt ontwikkeld en gebouwd door een van de laatste grote Europese vliegtuig-fabrieken in privé-bezit, de firma *Dassault*.
Er staan vijf prototypes op het programma; een ervan heeft al een aantal succesvolle proefvluchten gemaakt. Men verwacht dat medio 1982 de eerste produktiemachines aan de Armée de l'Air kunnen worden geleverd. Exacte cijfers zijn nog niet bekend, maar Dassault stelt dat de prestaties van de *Mirage 2000* ruimschoots beter zijn dan die van huidige jagers in zijn klasse, zoals de *F 16*.

Veelbelovende projecten werden toch geschrapt

Vooral de Britse regering heeft de neiging projecten in gang te zetten om ze vervolgens op het laatste moment, liefst als het prototype al vliegt, te schrappen — soms uit puur gebrek aan technisch inzicht bij de beleidvoerenden, soms uit zuinigheidsoverwegingen. Eind jaren vijftig was de *Saunders-Roe SR 53* het slachtoffer (foto boven). Van deze opmerkelijke jager, uitgerust met een straal- én een raketmotor (voor grotere stijgsnelheid en wendbaarheid), werd een veelbelovend prototype gebouwd, maar geld voor produktiemachines werd niet uitgetrokken. De regering was ervan overtuigd dat 'bemande jachtvliegtuigen in de naaste toekomst vervangen zouden worden door geleide projectielen.' Iets dergelijks gebeurde met de *BAC TSR 2,* een uitstekend aanvals- en verkenningsvliegtuig, waarvan het prototype (foto onder) in september 1964 zijn eerste vlucht maakte. De machine was in staat tot automatische blindaanvallen op geringe hoogte, waarbij een doel tot op enkele tientallen *centimeters* nauwkeurig kon worden bestookt. Dit project werd om financiële redenen geschrapt ten voordele van de Amerikaanse *F 111,* die later ongeveer tweemaal zo duur bleek te zijn.

Bommenwerpers door techniek achterhaald

Ook in Amerika wordt een nieuw militair project nog wel eens in een laat stadium de grond in geboord. Beide hier afgebeelde vliegtuigen, de *North American XB 70* (boven) en de *Rockwell B 1* werden ontworpen als opvolger van de langzamerhand bejaarde *B 52*. De *XB 70* zou op grote hoogte aanvallen met een snelheid van Mach 3. Nog vóór de eerste vlucht van het prototype in 1964 veranderde de luchtmacht echter van strategie: een hoog vliegende bommenwerper zou een té makkelijke prooi zijn voor geleide wapens. Besloten werd dat voor onderzoekdoeleinden twee *XB 70's* zouden worden afgebouwd. De onlangs geschrapte *B 1* is een met variabele pijlvleugels uitgeruste wondermachine die op zeer geringe hoogte supersonisch naar haar doel kan vliegen (foto onder). Het Amerikaanse Congres maakte een eind aan het project nadat er drie miljard dollar in was geïnvesteerd, met als argument dat de *cruise missile* (zie bladzijde 175) de rol van strategische bommenwerper beter en goedkoper kan vervullen. Ook in dit geval worden de prototypes afgebouwd.

Kan het ook zonder piloot?

De foto op deze pagina
toont het eerste onbemande
verkenningsvliegtuig dat
de Amerikaanse strijd-
krachten in gebruik namen.
Het toestelletje werd in
1957 ontworpen en gebouwd
door *Republic Aviation*
en kon worden uitgerust
met drie verwisselbare,
van verschillende
'sensorsystemen' voorziene
neusmodules. Men kon
kiezen uit fotografische
apparatuur, radar en een
infraroodzoeker.
In Vietnam werden deze,
oorspronkelijk uit radio-
bestuurde doelvliegtuigjes
ontwikkelde robots verder
geperfectioneerd.
In veel gevallen bleken ze
een uitstekende en goedkope
vervanger van het bemande
verkenningsvliegtuig.
Een tijdlang was er zelfs
sprake van de komst van
onbemande onderscheppingsjagers, maar voorlopig
is in dergelijke machines
een menselijke piloot
toch onmisbaar.

'Cruise missile' herkent de grond onder zich

De *cruise missile* is een nieuw Amerikaans vernietigingswapen met bijzondere eigenschappen: de boven afgebeelde variant is maar 7 meter lang en heeft toch een vliegbereik van 2300 kilometer. Met zijn *Tercom* (Terrain Contour Matching) kan hij in een bergachtig gebied vliegen op een hoogte van minder dan honderd meter. Bovendien 'herkent' de *cruise missile* de grond waar hij overheen vliegt: een computer aan boord vergelijkt de gegevens van een radar-hoogtemeter met een kaart in zijn geheugen en corrigeert eventueel de koers. Het projectiel is door *General Dynamics* ontwikkeld om vanaf onderzeeërs, schepen, vliegtuigen en land te worden gelanceerd. Men is van plan om onder andere de *B 52* met dit wapen uit te rusten. Foto onder: een proef-lancering van de *cruise missile* door een *A 6 Intruder*.

Tanken zonder tussenlanding

Het waren twee Amerikaanse toestellen die in 1923 voor het eerst demonstreerden hoe men een vliegtuig tijdens de vlucht van brandstof kan voorzien (foto links: twee *DH 4's* uit die tijd). Pas vijftien jaar later werd het systeem praktisch toegepast: op de *Imperial-Airways-* postdienst tussen Southampton en New York. Tegenwoordig zijn er vliegtuigen met een voldoende groot non-stop-vliegbereik voor alle commerciële lijndiensten, zodat de techniek van het tanken in de lucht alleen nog wordt gebruikt voor militaire doeleinden. Foto rechts: het prototype van de *YC 14 B* verlengde *StarLifter* krijgt boven Californië nieuwe brandstof van een *KC 135*.

Een onvrijwillig cadeau van de Rode luchtmacht

Vaak gebeurt het niet, maar van tijd tot tijd vallen er toch Russische militaire vliegtuigen in westerse handen.
Op 6 september 1976 gebeurde dat tot vreugde van Japanse en Amerikaanse militaire experts met de meest geavanceerde Sovjet-onderscheppings-jager, de *MiG 25*. Luitenant Victor Belenko, die zich in zijn vaderland kennelijk niet meer thuis voelde, vloog zijn machine van de basis bij Sakharovka naar het Japanse vliegveld Hakodate. Ondanks felle Russische protesten bracht men de *MiG* over naar Hyakuri bij Tokio, waar de USAF Foreign Technology Division het toestel grondig binnenstebuiten keerde. In sommige opzichten bleek de MiG

een tegenvaller. Voor de constructie is roestvrij staal gebruikt in plaats van het lichtere titanium, waardoor de machine zwaarder en minder wendbaar is dan bijvoorbeeld de Amerikaanse *F 15*. Bovendien is de boord-elektronica van mindere

kwaliteit dan vergelijkbare westerse apparatuur. Toch bleek het toestel in staat moeiteloos door de Japanse luchtverdediging heen te breken. De Japanners waren diep onder de indruk en zijn méér geld aan hun defensie gaan besteden.

Vliegtuigen voor de Russische vloot

Hoewel de Russische vloot qua aantal schepen de grootste ter wereld is, heeft de Sovjet-marine nooit interesse getoond voor vliegdekschepen, terwijl de Amerikaanse 'carriers' toch juist haar belangrijkste tegenstanders zijn. Eind 1976 voer echter de *Kiev* door de Bosporus: geen gigantisch vliegdekschip in Amerikaanse stijl, maar een kleine varende basis voor verticaal startende straalvliegtuigen van het type *YAK 36* (Navo-codenaam: *Forger).* Het toestel valt in ongeveer dezelfde klasse als de Engelse *Harrier* (pag. 139). De *YAK 36* is uitgerust met drie motoren. Een daarvan wordt middels twee draaibare uitlaten achter de vleugel gebruikt voor zowel start en landing als horizontale vlucht; de twee kleine motoren vóór de vleugel werken alleen bij start en landing (foto onder).

Amerikaanse marine wil verticaal starten

Tot nu toe heeft de Amerikaanse marine voor haar aanvalskracht grotendeels vertrouwd op een betrekkelijk klein aantal supervliegdekschepen, zoals de door atoomkracht aangedreven *Enterprise* (foto boven). Maar hoewel men er nog steeds van overtuigd is dat het vliegdekschip zichzelf effectief kan verdedigen, wil de U.S. Navy in de toekomst toch graag beschikken over een wat groter aantal kleinere schepen, die uiteraard een minder kwetsbare en schepen, die uiteraard een minder kwetsbare en veelzijdiger strijdmacht zijn natuurlijk de meest geschikte uitrusting voor dergelijke schepen. De Amerikanen kochten daarom in Engeland een aantal *Harriers,* van welk type ze nu samen met *Hawker Siddeley* een verbeterde versie aan het bouwen zijn. Bovendien is de Amerikaanse fabrikant *Rockwell* bezig met de ontwikkeling van de *XFV-12A* (foto onder), een machine die voor de verticale start gebruik maakt van een buizensysteem dat de stuwkracht van de motor naar de vleugels overbrengt, waar speciale kleppen de gasstroom omlaag richten.

Twee superjagers van de jaren zeventig

De twee modernste gevechtsvliegtuigen ter wereld zijn waarschijnlijk de *Grumann F 14 Tomcat* (foto rechts) en de *McDonnell Douglas F 15 Eagle*, die respectievelijk zijn ontworpen voor de VS-marine en -luchtmacht. De belangrijkste taak van de *F 14* is het vernietigen van vijandelijke geleide projectielen en vliegtuigen. Het toestel is uitgerust met het *Hughes-AWG-9-vuurleidingssysteem*, dat in staat is 24 doelen tegelijk onder vuur te

nemen. De afstand tot het doel mag groter zijn dan 100 kilometer. De *Tomcat* is voorzien van vleugels met variabele pijlstand om de start- en landings-snelheden laag te houden, en ook om de wendbaarheid te verbeteren. Behalve de Amerikaanse marine vliegt de luchtmacht van Iran met *Tomcats*.
De *F 15* heeft een soortgelijk prestatie-vermogen, al is deze machine éénpersoons en zijn de vleugels niet verstelbaar (foto onder). Er zijn 25 *F 15*'s verkocht aan Israël, terwijl Japan en Saoedi-Arabië er een aantal besteld hebben.

Moderne vliegtuigen zijn voor één land te duur

De prestaties buiten beschouwing gelaten, verschillen moderne vliegtuigen in één opzicht heel duidelijk van hun voorvaderen: ze zijn vele malen duurder. Een gevolg voor het in betrekkelijk kleine landen verdeelde Europa is dat geen enkel groot luchtvaartproject van de grond kan komen zonder internationale samenwerking. Aan de ene kant is die nodig om het financiële risico te spreiden, aan de andere kant om het produkt van een redelijke markt te verzekeren. Deze en volgende pagina's geven een beeld van de resultaten van enkele van zulke internationale projecten. Allereerst de *Jaguar,* gebouwd door *Sepecat,* een combinatie van *British Aerospace* en *Dassault/Breguet Aviation* in Frankrijk. De *Jaguar* is een eenpersoons licht aanvalsvliegtuig, een soort precisiebommenwerper, die op grote hoogte supersonisch kan vliegen, maar zijn doel vaak op geringe hoogte (minder dan 100 m) opzoekt. De elektronische uitrusting bestaat uit een computernavigatie- en -vuurleidingssysteem. Het toestel is in gebruik bij de Engelse en Franse luchtmacht; van de exportversie zijn kleine aantallen verkocht aan Equador en Oman.

F 16: grootste luchtvaart-project van de eeuw

Medio 1975 won de *F 16* (foto boven) het in de VS van zijn grootste concurrent, de *Northrop F 17.* Deze laatste is nu verder ontwikkeld tot de *F 18 Hornet* (links), waarvan de Amerikaanse marine er waarschijnlijk zo'n 800 gaat aanschaffen — een troostprijsje in ver- gelijking met de *F 16,* waarvan men uiteindelijk meer dan *drieduizend* exemplaren verwacht te verkopen! Alleen al in organisatorisch opzicht is de bouw van het

'Wervelstorm' voor drie Europese landen

Het Europese MRCA-(Multi-Role Combat Aircraft) prototype, de *Tornado*, maakte zijn debuut in augustus 1974. Intussen zijn er nog acht prototypes en drie voorserie-machines gebouwd; eind 1978 komen er nog drie bij. Het toestel wordt ontwikkeld door *Panavia*, een samenwerkingsverband dat bestaat uit *Aeritalia*, *British Aerospace* en *Messerschmitt-Bolkow-Blohm*. In juli 1976 gaven de regeringen van West-Duitsland, Italië en Engeland toestemming voor de produktie van 809 *Tornado's* voor de drie luchtmachten en de Duitse marine; de eerste toestellen worden begin 1979 afgeleverd.

De *Tornado* is een geavanceerde jachtbommen-werper, voorzien van vleugels met verstelbare pijlstand. De maximum-snelheid is Mach 2,2 en het gevechtsbereik met een lading van 2,5 ton bedraagt ongeveer 1200 kilometer. Speciaal voor de Engelse luchtmacht wordt een luchtverdedigingsversie ontworpen; de andere landen willen de *Tornado* voornamelijk gebruiken als zelfstandig aanvalsvliegtuig.

toestel een ongekend ingewikkelde zaak, met produktielijnen in drie verschillende landen (Amerika, Nederland en België) en fabrikanten van verschillende onderdelen verspreid over minstens zeven landen. Ondanks de drievoudige investeringen en het extra-vervoer van onderdelen is deze manier van vliegtuigbouwen toch de meest winstgevende voor zowel Amerika als de Europese landen.

De *F 16* wordt de nieuwe lichtgewicht-onderscheppingsjager, tevens licht aanvalsvliegtuig voor diverse luchtmachten. België heeft er 116 besteld, Denemarken 58, Iran 160, Israël 75, Nederland 102, Noorwegen 72 en de VS-luchtmacht is van plan er 1388 in dienst te nemen.

'o Woreldc duurste vliegtuig

Voor de verdediging van West-Europa en Amerika zijn radarstations op de grond alleen niet meer voldoende. Ze zijn te kwetsbaar en hun gezichts-veld is te klein. De *E 3A AWACS* (Airborne Warning And Control System; de foto laat goed de draaiende radar-paddestoel op de rug van het vliegtuig zien) kan beide bezwaren opvangen. Het is een verbouwd *Boeing-707-verkeers-vliegtuig*, dat is volgestopt met de modernste radar- en computerapparatuur; één *E 3A* bewaakt een gebied met een doorsnee van 750 kilometer en kan 350 à 400 vliegtuigen tegelijk volgen. Bovendien kan de bemanning zelf tactische beslissingen nemen en die vertalen in orders voor de eigen onderscheppingsjagers. *AWACS* is echter niet goedkoop. Toch zijn de Navo-ministers in principe wel bereid tot aanschaf

van de *E 3A*
De beslissing is nog niet genomen, maar men denkt op het ogenblik aan een vloot van 18 toestellen; daarmee zou een bedrag gemoeid zijn van 1,7 miljard dollar. De VS willen zelf 34 *E 3A's* in gebruik nemen en Iran bestelde er 7.

Vechten om order voor nieuw patrouillevliegtuig

De Nederlandse marine heeft behoefte aan een aantal nieuwe patrouille-vliegtuigen, om welke order nu een concurrentie-slag gaande is tussen de Amerikaanse *Lockheed Orion* (onder op de foto) en de *Atlantic M4* van *Dassault/Breguet*. Het laatste vliegtuig is een verbeterde versie van de *Atlantic Mk 1*, waarvan de Nederlandse marine er acht in gebruik heeft (bovenaan op foto). De *M4* moet echter nog gebouwd worden, terwijl de *Orion* al vliegt, en voor de Kon. Marine wellicht een beter vliegtuig is. Zowel de *Orion* als de *Atlantic* is ook geschikt als actief onderzeeboot-bestrijdingsvliegtuig. De 'stang' achter aan de romp is een deel van het apparaat dat storingen in het aardmagnetisch veld registreert die de ijzeren romp van een onderzeeër onvermijdelijk veroorzaakt.

Goedkoper vliegen van Londen naar New York

Grote vliegtuigen zijn een stuk economischer dan kleine, vooropgesteld dat de stoelen bezet zijn. Eén manier om passagiers te lokken is de vliegreis een luxueus tintje te geven, maar lang niet iedereen hecht waarde aan luxe. Velen, vooral jongeren, willen best een vliegreis maken naar verre landen, als het maar niet te duur is. De verzorging aan boord is dan niet zo belangrijk, ze nemen zelf wel een broodje mee voor onderweg. De eerste die zich in 1977 op deze markt richtte, was de Brit Freddy Laker (op foto in kennelijke 'starthouding' voor een van zijn *DC 10's*). Een retourticket Londen-New York kost bij hem slechts 236 dollar. Reserveringen zijn niet mogelijk, de klanten moeten in de rij staan; daarom heeft *Skytrain* in New York een eigen terminal buiten het vliegveld, om overbelasting door grote aantallen wachtende passagiers te voorkomen. Diverse andere maatschappijen hebben inmiddels Lakers voorbeeld gevolgd met voorlopig nog tijdelijke 'stuntaanbiedingen' en lage stap-maar-in-tarieven.

Europese 'wide body' verovert Amerika

In de jaren zestig, de bloeitijd van de verkeersluchtvaart, leek er niet alleen dringend behoefte te bestaan aan grotere vliegtuigen voor de lange en middellange afstand, maar ook aan een 'wide body' voor korte routes. De Amerikaanse luchtvaartindustrie had duidelijk een voorsprong wat betreft het eerste type; een groep van Europese fabrikanten zag echter wel mogelijkheden in het korte-afstandsvliegtuig. Zij verenigden zich onder de naam *Airbus* en produceerden de *A 300*, die zich intussen heeft bewezen als een bijzonder economisch en betrouwbaar vliegtuig: het brandstofverbruik is twintig tot dertig procent gunstiger dan dat van zijn voorgangers, en van de eerste duizend vluchten die *Lufthansa* met het type maakte ging er slechts één niet door wegens technische problemen! Ook Nederland is bij de *A 300* betrokken; Fokker bouwt de bewegende vleugeldelen. Foto: *Eastern Airlines* (geleid door ex-astronaut Frank Borman) was de eerste Amerikaanse maatschappij die de *A 300* in dienst nam.

Airbus wil méér vliegtuigen bouwen

Volgens *Boeing* zal het in de jaren tachtig weer duidelijk beter gaan met de burgerluchtvaart. De Amerikaanse fabrikant verwacht dat er in de volgende tien jaar ter waarde van dertig miljard dollar aan oude verkeersvliegtuigen vervangen moet worden, en dat een toenemende groei daar nog eens eenenveertig miljard dollar aan extra nieuwe machines aan zal toevoegen. De luchtvaartmaatschappijen hebben vooral belangstelling voor korte-afstandsmachines, zodat *Boeing* ongetwijfeld een deel van de markt gaat verliezen aan de *A 300* (zie vorige pagina). Maar *Boeing* heeft een aantal nieuwe ontwerpen op stapel gezet: de *775*, *767* en de driemotorige *777* (geheel boven), die het *Airbus* straks beslist moeilijk gaan maken. *Boeings* chef-ingenieur Joe Sutter: 'De *A 300* heeft de oude, grote dikke *DC-10*-romp waar wij juist van af willen, en ons brandstofverbruik wordt 15 % gunstiger dan dat van de *A 300*.'
Airbus zit overigens niet stil: in samenwerking met *British Aerospace* wil men de JET (Joint European Transport, onderste foto) gaan bouwen, als meer directe concurrent van *Boeings* projecten. Op het ogenblik heeft Europa een aandeel van 10 % in de wereldvliegtuigbouw. *Airbus* wil er minstens 30 % van maken.

Van lucht- naar ruimtevaart

De *X 15* werd in opdracht van NASA gebouwd door *North American*. Hij bestond uit niet veel meer dan een raketmotor, brandstoftanks en een cockpit, ondergebracht in een 15 meter lange romp. Tussen 1959 en 1968 bereikte het toestel snelheden tot Mach 7 en een maximumvlieghoogte van bijna 100 kilometer, waarbij de huidtemperaturen varieerden van min 185 tot plus 650 graden! Huid, brandstoftanks en vleugelvoorrand werden, om die uitersten te kunnen weerstaan, gemaakt van Inconel X, een legering die voornamelijk bestaat uit nikkel en chroom en verwant is aan het materiaal dat werd ontwikkeld voor schoepen van straalturbines. Behalve supersnel was de *X 15* overigens ook tamelijk veilig. Van de 199 gemaakte vluchten ging er maar één mis: het derde toestel verongelukte eind 1967 bij terugkeer in de atmosfeer. De *X 15* blijft vermoedelijk nog heel lang het snelste vliegtuig aller tijden. Hoge-snelheidsonderzoek is voor de luchtvaart niet meer zo interessant. Het ligt meer op het terrein van de ruimtevaart, waaraan de volgende pagina's zijn gewijd.

Russische honden, Amerikaanse apen

Na het eerste ruimteschot (pag. 134) hadden de Russen nóg een verrassing. Al op 3 november 1957 lanceerden zij hun tweede satelliet: de *Spoetnik II*. Deze kunstmaan was veel zwaarder en had naast waarnemingsapparatuur een levend wezen aan boord, het hondje Laika. Na een paar dagen zou Laika op aarde terug moeten keren, maar het experiment faalde en de hond stierf; haar stoffelijk overschot verbrandde met de kunstmaan toen deze in dichtere luchtlagen kwam. De Russen gaven het niet op en lanceerden nog meer *Spoetniks*. Ook deze hadden hondjes aan boord. Maliska (foto links) werd na vele tochten — op een ervan bereikte ze een hoogte van 105 kilometer — de eerste 'ruimteveteraan'.

De Amerikanen voerden een soortgelijk testprogramma uit, maar zij gebruikten eerst resusapen en daarna chimpansees. Foto onder: Ham krijgt zijn eerste hapje na een tocht van 675 km aan boord van een *Mercury*-capsule, 31 januari 1961.

De eerste mensen in de ruimte

De gebeurtenissen volgden elkaar in snel tempo op. Op 12 april 1961 slaagden de Russen erin een mens de ruimte in te sturen. Die eerste kosmonaut, Joeri Gagarin, cirkelde één keer om de aarde in een baan waarvan de uitersten op 175 en 300 kilometer hoogte lagen. De vlucht duurde 108 minuten. Gagarin werd overal als een held bejubeld en onthaald. Foto boven: de kosmonaut en zijn vrouw op bezoek bij de Indiase premier Nehroe in New Delhi. Rusland had nog steeds 'n voorsprong 'in de ruimte' op de Verenigde Staten, die echter koortsachtig in de weer waren om de Russische records zo gauw mogelijk te breken. De eerste Amerikaanse bemande ruimtevlucht stond voor 20 december '61 op het programma, maar die reis van astronaut John Glenn (foto rechts) moest helaas tot achtmaal toe worden uitgesteld. Op 20 februari 1962 werd hij dan toch eindelijk in zijn *Mercury*-capsule weggeschoten. Kort voordat hij aan zijn tweede omloop zou beginnen, raakte de stuurautomaat defect. Na overleg met de vlucht-leiding besloot Glenn toch die tweede om-wenteling te maken en zelf te sturen. Met veel succes: hij bracht het zelfs tot drie rondjes, die samen bijna vijf uur duurden!

Telefooncentrales in de ruimte

Zo succesvol verliepen de eerste lanceringen van kunstsatellieten, dat men al gauw aan praktische toepassingen ging denken. *Early Bird* was de eerste commerciële communicatiesatelliet (op foto links op de proefbank), die sinds april 1965 televisie- en telexverbindingen tussen Europa en Noord-Amerika mogelijk maakte en 240 telefoongesprekken tegelijk kon verwerken. Hij werd in een geostationaire baan (vaste plaats boven het aardoppervlak) gebracht, op bijna 36.000 km boven de Atlantische Oceaan. De *Telstar I*, een niet-commerciële satelliet, was op 10 juli 1962 al gelanceerd. Deze verzorgde eveneens geluids- en beeldverbindingen tussen de Oude en Nieuwe Wereld. De eerste woorden die *Telstar* ontving, werden doorgezonden naar het Witte Huis, waar vicepresident Johnson de telefoon aannam. Op foto linksonder staat hij met McNeely, directeur van de *American Telephone and Telegraph Company*, bij een model van *Telstar*.

Russische primeur: een ruimtewandeling

Op 12 oktober 1964 vertoonden de Russen opnieuw een primeur door in de *Vosjod 1* liefst drie kosmonauten tegelijk de ruimte in te sturen. Nauwelijks een halfjaar later waren ze Amerika nog eens te vlug af, ' toen ze een van de twee mannen in de *Vosjod 2* voor het eerst EVA- (Extra Vehicular Activity) oefeningen lieten doen. Het was Aleksei Leonov die uit het ruimteschip kroop via een luik in een aan de buitenkant gemonteerde luchtsluis, waar hij met de hand het buitenste luik kon openen. Camera's in de sluis en buiten op het schip registreerden zijn bewegingen automatisch. Leonovs ruimtewandeling duurde tien minuten (foto hieronder). In juni 1965 maakte de eerste Amerikaan een ruimtewandeling: Edward White bewoog zich 21 minuten lang buiten de *Gemini 4*. De foto rechts toont een ander EVA-uitstapje: dat van Russell Schweickart, die in maart 1969 tijdens tests met de maanlander uit de *Apollo-9*-capsule kroop.

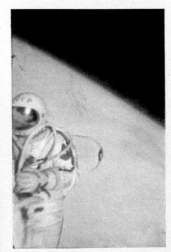

Eerste koppelingen zijn geen succes

Op 16 maart 1966 werd de *Gemini 8* met Neil Armstrong en David Scott vanaf Cape Kennedy gelanceerd. Hun opdracht: een koppeling uitvoeren met de eerder weggeschoten *Agena*-raket, dit als voorbereiding op latere maanlandingsvluchten. Tijdens de vijfde omloop van de *Gemini* maakten de astronauten contact met de *Agena,* die als een satelliet in de ruimte bleef hangen. Toen het gekoppelde paar begon te draaien en te rollen, werd de *Gemini* snel losgemaakt. De capsule bleef echter rondtollen, zodat Armstrong en Scott besloten hun vlucht af te breken. Ze kwamen niet in de Atlantische Oceaan terecht, zoals gepland, maar in het westelijk deel van de Stille Oceaan, waar ze toch ongedeerd konden worden opgepikt. Ook het rendez-vous van de *Gemini 9* met de in juni 1966 gelanceerde ATDA mislukte, hoe mooi een NASA-tekenaar zich die ontmoeting ook had voorgesteld (foto).

Tragisch ongeluk met Apollo 1

Na het *Mercury*- en het *Gemini*-project kwamen de Amerikanen in 1966 op de proppen met hun *Apollo*-ruimteschepen. Op 27 januari 1967 krijgen de astronauten Grissom, White en Chaffee opdracht het nieuwe ruimteschip op het lanceerplatform te testen. Ze klimmen in de capsule boven op een nog niet van brandstof voorziene *Saturnus*-raket. Alles moet nu verlopen als bij de voorbereiding van een echte vlucht. De drie mannen dragen ruimtepakken en de klok gaat lopen als bij elke normale 'count-down'. Plotseling roept iemand: 'Brand!!!' Het drama speelt zich in enkele minuten af. De drie ruimtevaarders komen jammerlijk om in de vlammen en van de *Apollo 1* blijft slechts een geblakerd wrak over. Tijdens het onderzoek naar de oorzaak van het tragische ongeluk wordt tussen de bedrading een moersleuteldop gevonden (foto links, omcirkeld), die mét een onzorgvuldige isolering debet moet zijn geweest aan het uitbreken van de brand.

Project 'Apollo' verloopt voorspoedig

Na de ramp tijdens de grondtest van *Apollo 1* verlopen de volgende fasen van het project zonder tegenslagen. Tot en met *Apollo 6* worden onbemande vluchten uitgevoerd en proeven genomen met de *Lunar Module* (LM) en de *Command Service Module* (CSM). Vanaf *Apollo 7* zijn de capsules steeds met drie astronauten bemand. Rond Kerstmis 1968 voltooien Borman, Lovell en Anders voor het eerst een omloop om de maan in hun *Apollo 8,* waarna er wordt geoefend in het loskoppelen van de CSM en de LM en de ruimtepakken worden getest. Stafford, Young en Cernan draaien in de *Apollo 10* twee en een halve dag om de maan, beproeven de LM en komen tot op 15 km van het maanoppervlak. Alles is nu klaar voor de eerste maanlanding...

196

De mens zet voet op de maanbodem

Woensdag 16 juli 1969: op Cape Kennedy wordt de *Apollo-11*-bemanning (Neil Armstrong, Edwin Aldrin en Michael Collins) per *Saturnus*-raket de ruimte ingeschoten. De maanmissie verloopt perfect; er hoeft slechts één van de vier geplande koerscorrecties te worden uitgevoerd. Op 19 juli worden de motoren van de Service Module (SM) in werking gesteld om het ruimteschip af te remmen en in een baan om de maan te brengen. Zondag 20 juli: Aldrin en Armstrong stappen over in de Lunar Module (LM), de *Eagle,* en dalen van ongeveer 100 km af naar het maanoppervlak. Om 21 uur 17 (Midden-europese tijd) landen ze. De hele wereld houdt de adem in, verbeidt het moment waarop de eerste mens de maanbodem zal betreden. Dat gebeurt op maandag 21 juli, om 3 uur 56. Neil A. Armstrong zet voet op de maan met de woorden: 'Het is een kleine stap voor een man, maar een geweldige sprong voor de mensheid'. Twintig minuten later daalt ook Aldrin af, welk moment wordt vastgelegd door de camera van Armstrong (foto links). Beide mannen voeren daarna een drietal weten-schappelijke experimenten uit en zetten o.m. een seismografisch meetstation op (foto hierboven).

Bijna een etmaal op de maan

Precies 21 uur en 37 minuten duurt het eerste bezoek van mensen aan de maan. Armstrong en Aldrin wandelen er zo'n twee en een half uur lichtvoetig rond, verzamelen bodemmonsters (ruim 20 kilogram) en plaatsen apparatuur die allerlei gegevens over de seismische activiteit moet blijven doorseinen naar de aarde. Met achterlating van die instrumenten en uiteraard de Amerikaanse vlag stijgen ze op 21 juli om 18 uur 54 in de *Eagle* op om zich weer bij het moederschip *Columbia* te voegen, dat intussen, met Collins aan boord, vele rondjes om de maan heeft gemaakt. De koppeling met de CSM lukt uitstekend. Foto hierboven: een kijkje uit de *Columbia* op de naderende *Eagle*. De terugreis naar de aarde levert ook geen problemen op, en op 24 juli, om 17 uur 49, plonst de *Apollo*-capsule behouden in de Stille Oceaan. De *Apollo-11*-maanmissie is in alle opzichten geslaagd!

Na Armstrong en Aldrin zouden in ruim drie jaar tijd nog tien Amerikanen op de maan rondstappen. November 1969, per *Apollo 12:* Charles Conrad en Alan Bean. Februari 1971, *Apollo 14:* Alan Shepard en Edgar Mitchell. In juli van dat jaar, per *Apollo 15:* David Scott en James Irwin. April 1972, per *Apollo 16:* John Young en Charles Duke. De laatste maanreis was die van *Apollo 17*, december 1972, toen Gene Cernan en de geoloog dr. Jack Schmitt dagenlang veel werk op de maanbodem verzetten. Om redenen van geldgebrek werden de vluchten van *Apollo 18, 19* en *20* uit het NASA-programma geschrapt. Slechts één van de zes expedities naar de maan was mislukt: die van *Apollo 13* in april 1970. In de SM deed zich een explosie voor, waardoor Lovell, Swigert en Haise voortijdig naar de aarde moesten terugkeren.

Russisch karretje bevriest in maannacht

In tegenstelling tot de Amerikanen gaven de Russen de voorkeur aan onbemande vluchten naar de maan. Op 10 november 1970 zonden ze per raket het karretje *Loenochod 1* weg, dat zeven dagen later landde in Mare Imbrium. Boven: testrit van de *Loenochod* op een nagebootst maanterrein. Binnen twee uur na de landing begon het vehikel televisiebeelden uit te zenden naar het controlestation (foto links).
In de tien maanden dat de *Loenochod 1* het op de maan uithield, legde hij negen kilometer af en zond hij meer dan twintigduizend foto's en tweehonderd panoramische beelden naar de aarde. Verder onderzocht de wagen op 500 plaatsen de maanbodem. Oktober '71 hielden de uitzendingen op doordat de warmtebron defect raakte en de instrumenten in de kou van de maannacht bevroren.

Robot komt met maanstenen terug

De Russische geleerden kregen ook hun porties maangruis thuis. Daarvoor zorgde allereerst de *Loena 16*, die in september 1970 bodemonderzoek verrichtte en met maanstof terugkeerde. Half februari 1972 landde de *Loena 20* in de bergen tussen de 'Zee van de Kentering' en de 'Zee van de Vruchtbaarheid'. Deze *Loena*-robot had een beweegbare arm met aan het uiteinde een boor, die een halfuur lang stukjes maanrots los drilde en overhevelde in een afsluitbare container. Op 25 februari kwam het bovenstuk van de *Loena 20* zachtjes neer in de hoge

sneeuw, ergens in de Sovjetunie. Na onderzoek concludeerden de experts dat het gesteente mogelijk een miljard jaar ouder was dan dat wat de *Apollo*-maanreizigers eerder hadden meegebracht.

Astronauten ontmoeten kosmonauten

Eindelijk maakte de naijver tussen Amerika en de Sovjetunie toch plaats voor een beetje samenwerking op het gebied van ruimteonderzoek. Na langdurig overleg werd afgesproken dat men over en weer ervaringen en gegevens zou uitwisselen. Daar bleef het niet bij: er volgde zelfs een rendez-vous tussen een *Apollo*- en een *Sojoez*-schip! Op 15 juli 1975 werd de *Sojoez 19* gelanceerd met aan boord Valeri Koebasov en Aleksei Leonov. De *Apollo* met Thomas Stafford, Vance Brand en Donald Slayton vertrok wat later op de dag. De koppeling, op 17 juli, verliep keurig volgens plan (tekening rechtsboven). Foto: kosmonaut Leonov (de eerste ruimte-wandelaar; bladzij 192) en astronaut Slayton houden een broederlijk tête-à-tête. Na 48 uur werden de vaartuigen weer losgekoppeld. De *Sojoez* keerde naar de aarde terug, de *Apollo* bleef nog vijf dagen in de ruimte voor weten-schappelijk onderzoek.

Maanjeep 17 minuten aan het werk

Het terrein dat de *Apollo-11*-astronauten onderzochten, was niet groter dan een tennis-baan. Om toekomstige maanreizigers een ruimere actieradius te verschaffen, maakte NASA al in een vroeg stadium plannen voor het meesturen van een geschikt vervoermiddel. Vóór alles moest rekening worden gehouden met het 'maanmilieu'. Daar een verbrandingsmotor in een vacuüm niet zou werken, werd de wagen van elektro-motoren voorzien en omdat de temperatuur-verschillen op de maan zeer groot zijn (van 120 graden boven nul tot 120 onder nul) konden geen rubberbanden worden gebruikt; de oplossing: een vlechtwerk van piano-snaren, omspannen met titaniumstroken. Het uiterst lichte voertuigje (250 kilogram), dat opgeklapt in het onderste deel van de LM kon worden meegevoerd, maakte zijn eerste reis met *Apollo 15* in juli '71. Het werd toen in totaal 17 minuten gebruikt. Foto: James Irwin staat op het punt in de maan-jeep te stappen; op de achtergrond Mount Hadley.

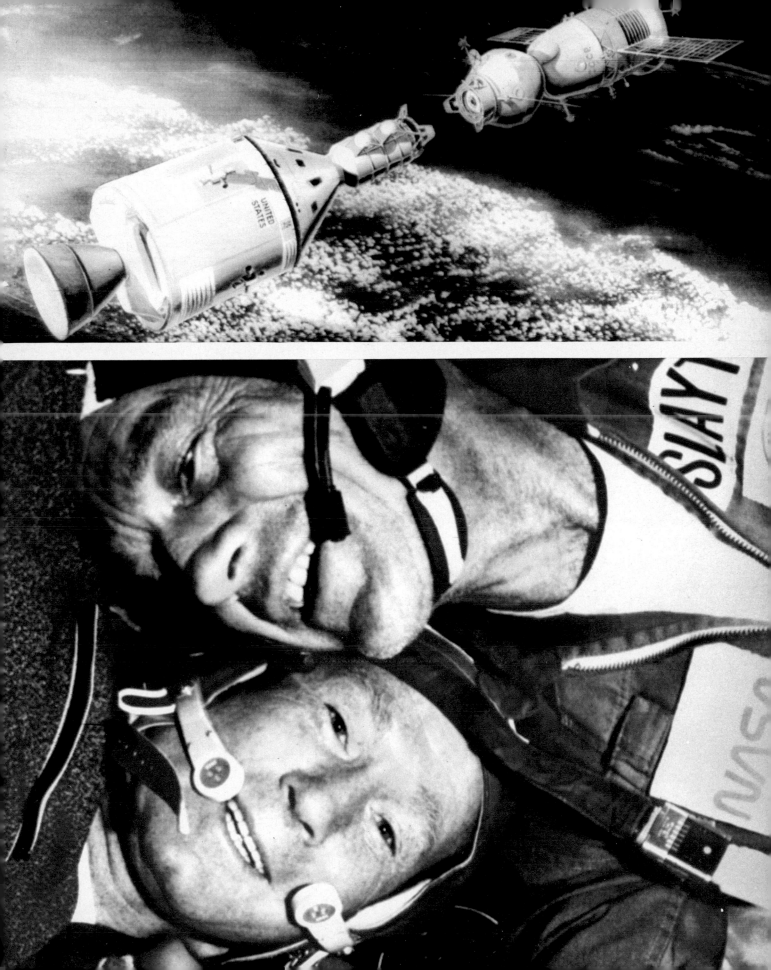

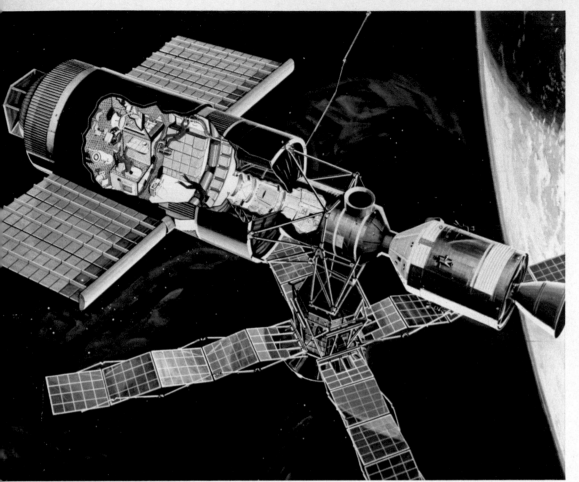

Een hapje eten zonder zwaartekracht

In totaal bleven de drie *Skylab*-bemanningen langer in de ruimte dan al hun Russische en Amerikaanse voorgangers te zamen. Het grootste succes van *Skylab* is het bewijs dat mensen langdurig in de ruimte kunnen leven zonder fysiek ernstig achteruit te gaan. Er kwamen wel een paar kleine afwijkingen aan het licht, die zich echter enkele weken na terugkeer op aarde herstelden. Interessant is dat de astronauten één tot twee centimeter langer werden door het ontbreken van de zwaartekracht, maar ook dit effect was van tijdelijke aard. Foto rechts: technici demonstreren het gebruik van de 'eetkamer'; de mannen worden op hun plaats gehouden door voet-beugels en beenklemmen. Volgens NASA-berekeningen zou *Skylab* pas in 1982 van zijn baan afwijken en naar de aarde terugvallen. Door een toename van zonne-uitbarstingen trad er echter zo'n sterke 'zonne-wind' op, dat *Skylab* meer wrijving ondervond dan verwacht werd en nu al begint terug te vallen. Onlangs slaagde men erin *Skylab* zo om de lengteas te draaien, dat de wrijving verminderde. Men hoopt dat een *Space Shuttle* het station nog tijdig zal bereiken om een motor-systeem te monteren, dat *Skylab* weer in een veilige baan kan brengen.

Maandenlang werken in ruimtelaboratorium

Skylab is de naam van een experimenteel ruimte-station, dat werd gebouwd met de bedoeling meer te weten te komen over de aarde en de zon én over de aspecten van het langdurig leven en werken in de ruimte. Het is een tot werkplaats omgebouwde derde trap van een *Saturnus*-raket en is het grootste door mensen vervaardigde ruimte-object: 36 m lang 7 m breed, 80 ton zwaar. Na de lancering in mei 1973 heerste er dagenlang onzekerheid over het slagen van de missie, want tijdens de eerste fase van de vlucht was een stuk van het meteo-rietenschild afgerukt, dat ook de zonnehitte moest afweren. Bovendien waren er problemen met de stroomvoorziening doordat een van de zonne-panelen was vernield. Doch de eerste bemanning, die op 25 mei 1973 vertrok, slaagde erin het station zodanig te herstellen dat het weer bewoonbaar werd. Op 8 februari 1974 keerde de derde *Skylab*-bemanning terug na een reis van 84 dagen. Dat record zou pas in maart 1978 worden verbeterd door de Sovjet-kosmonauten Joeri Romanenko en Georgi Gretsjko, die liefst 96 dagen in de Russische *Saljoet* 6 verbleven.

Vikings spitten in de Marsbodem.

In juli 1976 landden op Mars vlak na elkaar twee ruimtevaartuigen: *Viking 1* en *2* . Hun opdrachten: het nemen van foto's, het doorseinen van allerlei gegevens én... het zoeken naar tekenen van leven op Mars. De *Vikings* bestaan uit twee verschillende delen, de *Orbiter* en de *Lander*. Nadat ze samen in een baan om de planeet waren gekomen, maakte de *Lander* zich los van de *Orbiter* en landde met behulp van een parachute en remraketten zachtjes op de Marsbodem. Foto: een model van de *Lander* op ware grootte; rechts de meteorologische apparatuur, op de voorgrond de grijparm. Het enige dat het graaf-werk en de analyses van de *Vikinglanders* hebben opgeleverd, is twijfel. 'Ik durf geen ja, maar ook geen nee te antwoorden op de vraag of er leven is op Mars,' zei dr. Gilbert Levin, nadat een team van biologen en chemici onder zijn leiding de eerste gegevens van *Viking 1* had uitgewerkt. 'We hebben grafieken die een ongewone activiteit verraden. Maar ja, bij het bestuderen van monsters van een andere planeet moeten we wel héél kritisch zijn.'

Aards klankbeeld voor verre beschaving

'Dit *Voyager*-ruimtevaartuig werd gemaakt door de Verenigde Staten. Wij vormen een gemeenschap van 240 miljoen mensen, een klein deel van de ruim vier miljard die de planeet Aarde bewonen. De mensheid is nog steeds verdeeld in verschillende naties met elk haar eigen regering, maar deze naties zijn snel bezig zich te verenigen in een wereldomvattende beschaving.' Aldus president Jimmy Carter in een optimistische boodschap die misschien ooit door buitenaardse wezens zal worden gelezen, als zij in een verre toekomst de in het heelal rondzwalkende wrakken van de *Voyager 1* of *2* onderscheppen. De ruimtesondes werden in september en augustus 1977 gelanceerd in een baan die ze langs Jupiter en Saturnus voert. Beide hebben een langspeelplaat aan boord met een klankbeeld dat is samengesteld door Carl Sagan, een enthousiast voorvechter van interstellaire communicatie (foto). Het duurt echter 40.000 jaar voor een van de twee *Voyagers* in de buurt van een andere ster komt; de kans dat ze ooit worden gevonden is dus astronomisch klein... Ook de *Pioneer 10* en *11*, in 1972 vertrokken naar Jupiter en Saturnus, hebben een boodschap voor een verre beschaving. Hier gaat het om een plaquette met afbeeldingen van mensen, het schip zelf en gegevens in een binaire code over ons zonnestelsel.

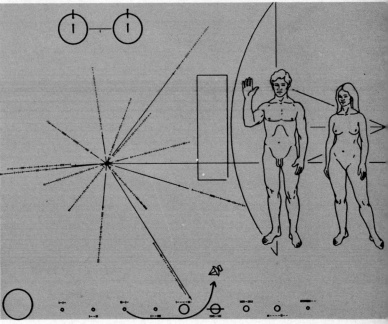

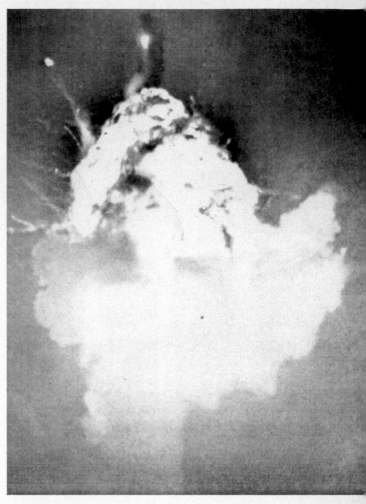

Europese satelliet
ter ziele door Delta-raket

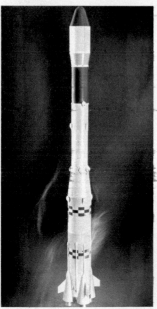

Toen in Europa tegen het einde van de jaren zestig eigen ruimtevaartprojecten werden opgezet, gingen de gedachten het meest uit naar het realiseren van een communicatienetwerk van satellieten. Met de bouw van een testsatelliet, de OTS, werd in 1973 begonnen en in september 1977 volgde de lancering vanaf Cape Canaveral. Even na de start ging er iets mis: aan boord van de *Delta*-draagraket deed zich een explosie voor. Om te voorkomen dat het stuurloze gevaarte in bewoonde streken zou neerstorten, werd het met een signaal vanaf de grond vernietigd (foto's hierboven).

Deze mislukking en het dreigende Amerikaanse monopolie betreffende lanceerfaciliteiten waren voor ESA (European Space Agency) aanleiding meer vaart te zetten achter de ontwikkeling van een eigen draagraket. Onder leiding van de voornaamste fabrikant, *Aérospatiale*, kwam de *Ariane* tot stand: een 47 meter lange raket die een gewicht van 1500 kilo in een geostationaire baan kan brengen (links).

Wat hangt ons boven het hoofd?

In januari 1978 stortten in Noord-Canada brokstukken van een vreemd voorwerp neer. Voor militair ingewijden was het niet eens zo'n grote verrassing die uit de lucht kwam vallen, want hun was al enige tijd bekend dat een Russische spionagesatelliet (Kosmos) vreemde kuren vertoonde. Canadese en Amerikaanse vliegtuigen gingen snel op zoek naar de wrakstukken — zowel uit nieuwsgierigheid als uit vrees voor stralingsgevaar, daar de satelliet een thermo-nucleaire reactor aan boord had. Uiteindelijk was het een groep Amerikaanse natuurvorsers die het wrak bij toeval vond. Naar aanleiding van de affaire werden in de wereldpers uit verontrusting vele vragen gesteld. Wat hangt ons allemaal boven het hoofd? Hoeveel van die dingen zwerven er rond de aarde? Zowel Russen als Amerikanen hielden zich in hun reacties nogal op de vlakte. Beiden gebruiken immers zulke spionage-satellieten…

Druk komen en gaan in Saljoet-station

Van de vreedzame Russische ruimteprojecten zijn de *Saljoet*-stations wellicht het belangrijkst. Behalve met astronomisch onderzoek houden de wisselende bemanningen van de *Saljoets* zich bezig met de studio van geofysische verschijnselen, terwijl natuurlijk ook de nodige medische en biologische experimenten worden gedaan. Een *Saljoet* is minder groot dan de Amerikaanse *Skylab*. Vooraan zit een luchtsluis, die verbonden is met het koppelingsmechanisme waarvan de *Sojoez*-schepen (blz. 203) gebruik kunnen maken. Een luik geeft toegang tot het voorste deel van het eigenlijke station, en geheel achteraan bevinden zich de motoren en hun brandstoftanks. De foto laat een model van een *Saljoet* zien. Sinds april 1971 zijn er zes *Saljoets* gelanceerd, waarvan nummer 2 in 1973 verongelukte. *Saljoet 6* ging eind september 1977 de ruimte in, maar pas in december slaagde een *Sojoez* erin de koppeling met het ruimtestation tot stand te brengen. Sindsdien wordt het een druk komen en gaan in de *Saljoet 6* — niet alleen van Russische kosmonauten, maar ook van ruimte-onderzoekers uit de DDR en andere Oostbloklanden die aan het Saljoet-program meedoen.

Europa krijgt een eigen ruimtestation

ESA (European Space Agency) houdt zich niet alleen bezig met satellieten, maar ook met bemande ruimtevaart. In de grootste ESA-vestiging, ESTEC (European Space Research and Technology Centre) in Noordwijk, werken ruim 100 technici en ingenieurs aan het laboratorium *Spacelab*, dat vanaf 1980 voor vele ruimtevluchten zal worden gebruikt. De *Spacelab* bestaat uit 'pallets', die naar keuze open of gesloten kunnen zijn. Het gesloten type heeft een eigen atmosfeer en kan ook dienen als leefruimte; de open pallet is vooral bedoeld voor astronomische experimenten. *Spacelab* zal meestal zijn samengesteld uit twee open en twee gesloten pallets (foto boven), maar andere indelingen zijn ook mogelijk, zoals één gesloten en drie open pallets. *Spacelab* krijgt ongeveer dezelfde functie als de reeds gelanceerde *Skylab*, maar zal niet per raket in een baan om de aarde worden gebracht, maar door de *Space Shuttle* worden vervoerd (foto onder). Daar het Space-Shuttle-testprogramma enigszins achter ligt op het schema (zie pagina's 212 en 213), is het nog de vraag of *Spacelab* inderdaad in 1980 operationeel wordt.

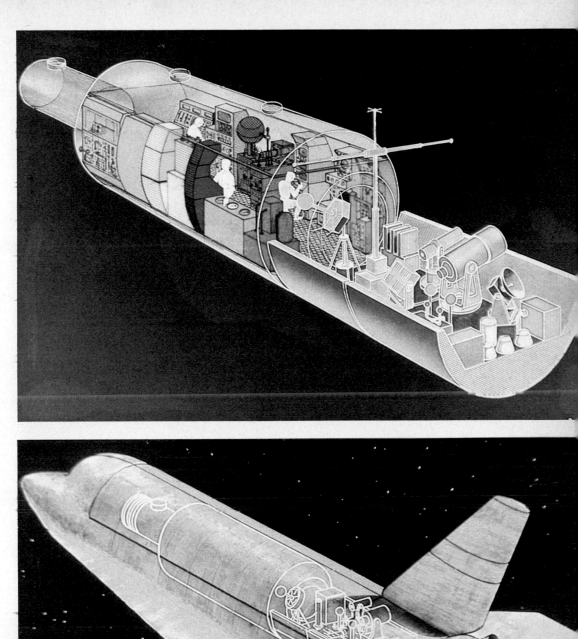

211

Het einde van de wegwerp-ruimtevaart?

Elk ruimtevaartuig heeft om in een baan om de aarde te komen een zware en zeer kostbare draagraket nodig. Het nadeel is dat zo'n raket na gedane taak bij terugkeer in de dampkring gedoemd is te verbranden. NASA heeft daarom een soort ruimtependel ontwikkeld: de *Space Shuttle*, een combinatie van raket en vrachtvliegtuig, die bestaat uit de Orbiter (*Enterprise* genoemd), waarin de vracht wordt opgeborgen, een externe brandstoftank voor de *Enterprise*, en twee stuwraketten. Een *Space-Shuttle*-missie moet als volgt in haar werk gaan. Lancering begint door middel van de twee stuwraketten, die op 43 kilometer hoogte worden afgeworpen en die aan parachutes weer op aarde terechtkomen. Daarna vliegt de *Enterprise* verder op de brandstof uit de externe tank, die ook wordt afgestoten en in de atmosfeer verbrandt; deze tank is het enige wegwerp-artikel in het programma. Op 185 km wordt er in een baan om de aarde gemanoeuvreerd, waarna de opdracht, zoals de aflevering of reparatie van een satelliet, wordt uitgevoerd. Is dat achter de rug, dan kan de *Enterprise* dank zij zijn vliegtuigvorm, weer op aarde landen. Zover is het evenwel nog niet: op zijn vroegst in 1980 zal de *Space Shuttle* de ruimte ingaan. De *Enterprise* werd eerst uitvoerig op zijn vliegcapaciteiten getest. Na de windtunnelproeven werd het toestel boven op de romp van een *Boeing 747* gemonteerd, die daarvoor gewijzigde staartvlakken kreeg (foto pag. 212). Samen, de *Enterprise* was onbemand, voerden zij sinds februari 1977 vele succesvolle vluchten uit. Daarna nam de *Jumbo* het toestel voor vijf vluchten mee naar boven, waar op zeven kilometer hoogte de separatie plaatsvond. De *Enterprise* dook dan in vrije vlucht naar beneden (foto hieronder). Ook dat gedeelte van de proefvluchten verliep goed; alleen de laatste landing leverde wat problemen op. Momenteel ondergaat de *Enterprise*, samen met de externe brandstoftank en de twee stuwraketten, uitgebreide verticale trillingstests in een speciaal gebouwde toren.

Register

Verantwoording van de foto's

Amsterdam Boek:
Blz. 8 boven, 18 linksboven, rechtsboven, 45 onder, 77 onder,
112, 129 onder, 141 onder, 179 boven.
Anefo, Amsterdam:
Blz. 160.
Anefo-Keystone:
Blz. 149, 191 onder.
ANP-UPI:
Blz. 148 boven, 158, 158-159, 161 boven, 175 boven,
208 boven, 209.
APN (Agencija Press Novosti), Moskou:
Blz. 134, 191 boven, 192 rechtsonder, 210.
Capital Press, Schiphol:
Blz. 165 onder.
ESA (European Space Agency):
Blz. 208 linksonder, 211.
KLM
Blz. 107.
KLM Aerocarto, Schiphol:
Blz. 120 boven.
London Express/ABC Press, Amsterdam:
Blz. 200, 201.
NASA (National Aeronautics and Space Administration):
Blz. 193, 194, 195 boven, 196-197, 198-199, 202, 203,
204-205, 206, 207 onder, achterzijde omslag.

Rockwell International, Downey, California:
Blz. 212, 213.
SIPA Press/RBP, Amsterdam:
Kleurenfoto omslag, blz. 161 onder.
Spaarnestad, Haarlem:
Voorzijde omslag midden- en rechtsboven, blz. 9 boven,
23 onder, 34 onder, 68 boven, 106 onder, 114, 135, 148 onder,
166 onder, 174, 190 boven, onder, 192 boven, linksonder,
195 onder.
Syndication International/ABC Press, Amsterdam:
Blz. 186.
UPI:
Blz. 150, 159 rechts, 168 onder, 175 onder, 195 onder,
207 boven.

Alle overige illustraties zijn afkomstig uit het
luchtvaartarchief van **Thijs Postma, Hoofddorp.**

Samenstellers en eindredacteur van dit boek hebben niet van
al het gebruikte fotomateriaal de juiste bron kunnen
achterhalen. In gevallen waarin de uitgever nog verplichtingen
tot betaling van copyright heeft, is hij bereid deze alsnog
na te komen.